Gémir

Predicciones

y

Rituales

2024

Alina A. Rubi

Angeline Rubi

¿Quién es Géminis?

Fechas: *21 de mayo - 21 de junio*

Día: *miércoles*

Color: *Azul*

Elemento: *Aire*

Compatibilidad: *Libra, Aries y Acuario*

Símbolo: ⛎

Modalidad: *Mutable*

Polaridad: *Masculina*

Planeta regente: *Mercurio*

Casa: *3*

Metal: *Mercurio*

Cuarzo: *Cristal, berilo y topacio.*

Constelación: *Géminis*

Personalidad de Géminis

Géminis posee una gran adaptabilidad y versatilidad, son intelectuales, elocuentes, cariñosos, e inteligentes. Tienen mucha energía y vitalidad, les encanta hablar, leer, hacer varias cosas a la vez.

Este es un signo que disfruta con lo inusual y la novedad, mientras más variedad en su vida, mejor. Su carácter es doble y complejo, en ocasiones contradictorio. Por un lado, es versátil, pero por el otro puede ser poco honesto.

Géminis es el signo de los gemelos y, como tal, su carácter y forma de ser es dual. Representan la contradicción, y cambian de opinión o estado de ánimo con facilidad.

Los Géminis son muy activos y necesitan estar ocupados en todo momento, adoran hacer varias cosas a la vez y tratar retos nuevos.

Tienen la felicidad, la imaginación, creatividad y la inquietud de los niños. Algunas empiezan nuevas actividades y retos con entusiasmo, pero muchas veces les falta la constancia para terminarlos. Desde su punto de vista la vida es un juego y buscan la diversión y nuevas experiencias. Géminis es el signo más infantil del zodiaco.

Su buen humor y capacidad comunicativa desaparecen cuando se enfrentan a un problema, pues acostumbran a desanimarse en las peores circunstancias y dejar que sean los demás quiénes busquen las soluciones.

Los géminis son muy inteligentes, lo preguntan todo. esto los convierte en maestros del debate. Es de los signos con el coeficiente de inteligencia más alto.

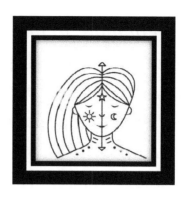

Horóscopo General de Géminis

Este será un año excelente para Géminis. Júpiter, el planeta de la suerte y las oportunidades, se mueve hacia tu signo el 25 de mayo, y esto solamente sucede una vez cada 12 años.

Durante este tránsito de Júpiter lluvias de oportunidades llegarán a tu vida y te sentirás más optimista. Este es un nuevo comienzo, un nuevo camino, un nuevo viaje.

El año 2024 te traerá una suerte maravillosa, te inspirarás a hacer algo nuevo o lograr algo que has tenido la intención de hacer durante muchos años.

La suerte y tu esfuerzo establecerán tu nombre en tu área profesional y te crearas una nueva identidad en los negocios. Además, podrás completar un viejo negocio o proyecto que ha estado paralizado desde el año pasado.

Ganarás mucho dinero, pero para obtenerlo debes evitar hacer decisiones apresuradas y el deseo de construir un imperio de la noche a la mañana.

Si estás empleado, trabajarás más duro que el año pasado, pero esto te regalará nuevas oportunidades e incluso ofertas en nuevas compañías. En general, Júpiter se asegurará de que recibas las mejores oportunidades.

Después del mes de julio debes concentrarte, ya que Saturno retrógrado puede crearte algunas situaciones desafiantes y tensas. Durante ese período, tendrás que proceder con cautela, y planificarte cuidadosamente para evitar errores.

Durante el 2024 estarás muy feliz y satisfecho con tu pareja la mayoría del tiempo. Existirán algunos conflictos y malentendidos en tu relación después de la segunda mitad del año, y también será un período en el que las perspectivas de matrimonio no se materializarán.

Dale a tu pareja prioridad, debes hacer todos los esfuerzos.

Si estás soltero, conocerás a alguien, las posibilidades son más fuertes después de mayo. Quizás conozcas a tu futura pareja durante un viaje, crearás un vínculo con el tiempo que se convertirá en una amistad profunda, finalmente convirtiéndolo en una relación sentimental.

Dos eclipses van a ocurrir en tu área del amor, uno Lunar el 25 de marzo y un eclipse solar el 2 de octubre. El eclipse Lunar te hará sentir más cerca de *tus seres queridos con los que tienes una conexión saludable, y te alejarás de cualquier persona que sea toxica. Este puede ser el momento perfecto para trabajar en temas amorosos pendientes.*

El eclipse solar puede traer un nuevo amor a tu vida. Si eres soltero, te motivarás a salir y llamar la atención, mientras que si estás en una relación agregarás chispas de pasión.

Tu salud financiera mejorará en el 2024 y te beneficiarás de nuevas fuentes de ingresos. Puedes recibir ingresos adicionales de comisiones, mercado de valores, intereses bancarios o quien sabe si la lotería.

Si has soñado con comprarte una casa o vehículo nuevo se cumplirá este año y, si necesitaras un préstamo lo obtendrás fácilmente. Si te esfuerzas profesionalmente aumentará tu cuenta de banco.

Quizás te mudes o arregles tu casa, y este cambio puede traer contratiempos en la familia. Debes tener paciencia para superar estos problemas para que la felicidad regrese a tu vida familiar.

Mantendrás una buena salud durante todo el año, pero puede haber algunos problemas menores a mediados de año ya que te sentirás deprimido y cansado debido al estrés. Esto se puede manifestar con problemas digestivos debido a la falta de apetito y la inquietud provocada por los contratiempos.

Amor

Este año puede traer altibajos emocionales, debes recordar que es normal experimentar una variedad de emociones y tener cambios de humor de vez en cuando. Para sobrellevar tus emociones, es importante que encuentres formas saludables, como hablar con un amigo o familiar de confianza, practicar técnicas de relajación como la meditación, o buscar el apoyo de un terapista mental si fuera necesario. Debes cuidarte y buscar apoyo si es necesario.

Este año es excelente para aquellos Géminis que buscan establecer una relación. Si has pensado comprometerte, este es el año para perfecto hacerlo. Este año progresarás en tu vida amorosa.

Aunque estarás muy romántico y soñador durante este año, y tenderás a idealizar sobremanera a la persona que ames debes ser cuidadoso porque tus fantasías podrán no estar totalmente de acuerdo con la realidad y eso te llevará a sufrir decepciones en el futuro.

Trata de ser coherente, realista, y acepta a la otra persona tal como es. El amor durante este año tenderá a ser platónico.

De todos modos, este año será muy favorable para la convivencia y para todo tipo de asociación.

Economía

Este año será genial para ti en el área económica. Lograrás tu objetivo de cambiar de trabajo, y este nuevo comienzo te traerá muchas oportunidades.

Tu coraje será admirado por los demás, pero es importante que sepas elegir tus batallas sabiamente, ya que defender lo que crees a veces puede tener consecuencias negativas.

Los planetas te darán luz verde en cuestiones de dinero. Mercurio, tu planeta regente, te apoyará plenamente y se asegurará de que tengas tus cuentas de bancos llenas de dinero.

En mayo, Júpiter transita hacia tu signo, lo que tendrá un efecto beneficioso en tus finanzas y profesión, así como en tus relaciones.

Definitivamente tus recursos financieros crecerán y será un buen año para las inversiones a largo plazo.

Por supuesto que todo esto no te va a llegar sin esforzarte, tendrás que trabajar, ser disciplinado y continuar esforzándote durante el año.

Júpiter propiciará el establecimiento de nuevas conexiones con personas importantes y el fortalecimiento de tus vínculos sociales.

Salud de Géminis

Debes hacer un esfuerzo consciente y priorizar tu salud física, recuerda que la buena salud es un componente clave para el éxito en todas las áreas de tu vida. Debes hacer un plan para perder peso extra e incorporar ejercicios de forma regular, especialmente actividades al aire libre.

La forma en que te alimentas es importante, por eso debes prestar atención a tu dieta, aumentando el consumo de proteínas y limitando los carbohidratos para que puedas evitar el aumento de peso y los problemas digestivos.

Probablemente algunos Géminis se sentirán cansados ya que su sistema inmunológico estará débil. Tendrás etapas de bajos niveles de energía, pero eso mejorará y recuperarás tu vigor.

Si tienes algún problema de salud crónico, como diabetes o presión arterial, debes tener cuidado durante todo el año. No olvides que el bienestar empieza en tu casa. Animándote a eliminar los alimentos poco saludables de tu cocina y trata de abastecerte de alimentos orgánicos. Este es un buen periodo para empezar a preparar tus comidas en tu casa en lugar de comprar alimentos procesados. Si comienzas a comer de esta forma te vas a sentir cada vez mejor.

Familia

Estarás más involucrado emocionalmente con aquellos que consideras como familia. Tu deseas que tu hogar sea un santuario, un espacio seguro, y te esforzarás para eliminar los problemas de forma saludable.

Durante los periodos de Mercurio retrógrado en tu hogar se pueden romper algunos equipos electrodomésticos o tener algunos problemas con el agua. Esto no solo puede ser molesto, sino que traerá disputas familiares y lo más probable es que tu pagues la culpa. Se paciente porque lo más probable es que esos equipos necesiten un mantenimiento de rutina.

Muchos de tus familiares allegados te pedirán consejos con frecuencia durante este año y eso te hará sentir indispensable.

Sucederán algunos cambios sentimentales en tu núcleo familiar. Quizás tus hijos o hermanos te introduzcan a sus nuevas parejas y esto le dará una nueva dinámica a tu familiar. Serán cambios beneficiosos.

Volverás a retomar el contacto con personas que estabas distanciado, le darás segundas oportunidades y te darás cuenta de que no todo es lo que parece.

Fechas Importantes

- ***20 de mayo- El Sol entra en Géminis***

- ***23 de mayo- Venus entra en Géminis***

- ***25 de mayo el planeta Júpiter entra en tu signo.*** *Comienza un periodo de mucha acción, de nuevas perspectivas, de metas que pueden cumplirse.*

- ***03 de junio- Mercurio entra en Géminis***

- ***6 de junio Luna Nueva en tu signo.*** *Te llegan más oportunidades, asegúrate de aprovecharlas al máximo.*

- ***20 de Julio el planeta Marte transita hacia tu signo hasta el 4 de septiembre.*** *Marte en tu signo te va a llenar de energía y entusiasmo para que puedas cumplir todas tus metas y objetivos. Es una etapa perfecta para nuevos comienzos.*

- ***15 de diciembre Luna llena en tu signo.*** *Este será el momento en el que obtendrás los resultados de todo lo que has hecho hasta ahora.*

Horóscopos Mensuales de Géminis 2024

Enero 2024

Este mes, es recomendable que controles tu ira y ego, y que pienses dos veces antes de decirle algo a alguien.

Debes asesorarte antes de tomar decisiones importantes con respecto a cualquier inversión. Evita planificar cualquier viaje o gastar en artículos caros. Se presenta un período favorable para tratar asuntos legales.

Superarás cualquier obstáculo profesional, pero es importante que tomes decisiones después de buscar el consejo de personas expertas. Tus esfuerzos te conducirán a una posición favorable en tu lugar de trabajo, y puedes tener oportunidades para un cambio de trabajo con ofertas atractivas de compañías exitosas.

Debes ser muy cuidadoso con las disputas y malentendidos, ya que tu ego puede conducirte a problemas en tus relaciones.

Si eres soltero, conocerás a alguien especial.

Prioriza los chequeos de salud regulares, evita los alimentos chatarra y con grasas.

A final del mes tendrás que hacer muchos esfuerzos en cualquier trabajo que realices, pero obtendrás los resultados de acuerdo con tus expectativas. El trabajo duro será recompensado y ganarás suficiente dinero para ayudarte en tiempos difíciles. La vida familiar será buena. Habrá armonía entre todos los miembros de la familia.

Números de la suerte

13 - 15 - 17 - 20 - 28

Febrero 2024

Este mes te enfrentarás a mucho estrés ya que se te acumularán muchas obligaciones y te verás envuelto en una agitación en la cual no podrás disfrutar de nada. Es importante que no te mezcles en proyectos mentalmente exigentes, y que planifiques algún fin de semana donde puedas estar en contacto con amigos y con la naturaleza. Debes pasar también algunos periodos solo para que puedas liberar tu mente y pongas en orden tus prioridades.

Si te has encariñado con alguien muy especial, este el mes ideal para dar el primer paso, ya que estarás muy seductor y elocuente para esa potencial pareja. Existe el potencial de una relación estable.

Se cuidadoso con tu salud, quizás te excediste comiendo a finales del año anterior y ahora comienzan a salir los resultados de tu descuido. Situaciones estresantes dentro de tu círculo familiar también pueden ser la causa de que tu salud se debilite.

Si estás casado o tienes una relación firme, puede producirse una separación a raíz de un viaje largo que realizará tu pareja.

Números de la suerte

4 - 18 - 25 - 35 - 36

Marzo 2024

Este mes te concentraras en la planificación y toma decisiones importantes ya que tendrás muy claras tus prioridades. Trata de enfocarte en tus objetivos y planificar cómo realmente los vas a cumplir. La paciencia se convertirá en tu punto de apoyo.

Aunque parece que tienes todo claro y que nada te molesta, puedes experimentar estados de depresión durante este mes, ten mucho cuidado. Tienes que darte cuenta de que no es necesario vivir velozmente, ni tampoco dedicarse única y exclusivamente a trabajar. Las noches de este mes son perfectas para leer libros o ver películas en compañía de tus amigos o pareja.

Trata de aumentar tu vida social y de conocer nuevas personas para que establezcas nuevos lazos de amistad, tienes que superar la soledad. El destino pondrá frente a ti personas que van a jugar un papel importante en tu futuro. Probablemente inicies relaciones profesionales importantes, y que establezcas lazos sentimentales profundos. Si estás soltero, es probable que inicies una relación que se formalizará como matrimonio en el futuro.

Espera problemas, con personas mayores. No es momento para hacer reparaciones en tu casa.

Números de la suerte
10 - 18 - 25 - 34 - 35

Abril 2024

Este mes saldrás de tu burbuja y brillarás entre las demás personas gracias a tu sentido del humor. Tendrás reacciones rápidas, que deslumbrarán no sólo a tus colegas de trabajo, sino a tus jefes. Establecer nuevos contactos no será un problema para ti y harás muchos viajes de negocios.

Si practicas ejercicios físicos estarás propenso a sufrir problemas musculares. Aunque los deportes te servirán para relajarte del remolino de pensamientos sobre tu trabajo, cargándote con nuevas energías.

Si has estado pensando en comenzar un nuevo pasatiempo, la energía de este mes es buena para cualquier actividad creativa, ya sea pintar, escribir o crear música.

También tendrás éxito en los estudios, así que sería muy buena idea realizar alguna clase relacionada a tu profesión o al campo tecnológico.

Tus heridas económicas comienzan a sanar porque ya Júpiter se acerca a tu signo, mantén la disciplina y la mesura.

Números de la suerte
5 - 10 - 11 - 22 - 26

Mayo 2024

Este mes vas a sentir la necesidad de estar en contacto con tus amigos cercanos. Anhelarás un abrazo, la cercanía y la seguridad de los que te quieren. Recuerda crecer tu amor propio.

Mayo es un mes cargado de emociones gracias al tránsito de Júpiter por tu signo, gracias a esta influencia tu capacidad de producir dinero aumentará, pero es conveniente que equilibres el ritmo de tu vida, y que descanses, para que con tranquilidad aproveches las oportunidades.

Este es el momento perfecto para hacer inventario de tus fortalezas y de tus fragilidades. Aunque tienes planes de expansión y de diversificación, recuerda que la única manera de poder avanzar es saber en dónde estás y con qué cuentas.

Disfrutar de tu cuerpo es importante para tener un equilibrio saludable, por esa razón apenas salga el sol, antes de cumplir tus obligaciones trata de tener contacto con objetos que seduzcan a todos tus sentidos.

Mejora tus vías respiratorias colocando aceites esenciales bajo tu almohada, evita las corrientes de aire y evita estar descalzo.

Números de la suerte
5 - 7 - 8 - 19 - 27

Junio 2024

Este mes tus habilidades culinarias se destacarán y empezarás a experimentar con diferentes recetas de alimentos saludables.

Antes de involucrarte en una disputa, piensa si vale la pena. Las palabras tienen la facultad de curar, pero también de lesionar. Podrías arrepentirte de tus comentarios arrogantes en un futuro.

Si no tienes pareja estarás preguntándote si debes decir que sí a esa solicitud que te ha hecho una persona en las redes sociales. Debes hacerlo ya que esa persona va a ser muy especial en tu vida, y a significar una historia de amor.

Tienes que evitar desvelarte por las noches, la falta de descanso es nociva. Organiza mejor tus horarios para que el tiempo de sueño necesario no se afecte.

Si tienes pareja puedes tener amores prohibidos o relaciones secretas que complicarán tu bienestar. No te compliques con relaciones que no representen tu verdadero ideal.

Si quieres comenzar un negocio propio, a final del mes es ideal para opciones de financiamiento.

Revelaciones en el amor, es muy posible que te enteres de algo que tu pareja te había contado.

Números de la suerte
6 - 7 - 12 - 17 - 25

Julio 2024

Un mes lleno de amor y bendiciones. Estarás rebosante de buen humor, y grandes ideas. Si no tienes pareja, déjate llevar por tu intuición que jugará un gran papel en tus acciones durante este mes

Aprovecha también y ve en busca de nuevos conocimientos, como la lectura, escucha audios de auto ayuda donde aprendas técnicas de meditación que te ayudarán en todas las áreas de tu vida.

Las relaciones familiares también florecerán, y te comunicarás hasta con tu familia más lejana. Te quedarás sorprendido de lo bien que la pasaran juntos con ellos.

No dejes de mirar bien a las personas que te rodean, es probable que en el trabajo te enteres de alguna habladuría que te involucra, pero esa no es razón para cerrar las puertas a las relaciones personales en donde tu trabajas. Solo debes ser muy cuidadoso de contar tu vida personal.

También debes aprender a practicar la sordera, y prestar oídos sordos a esas conversaciones llenas de negatividad y odio que insisten es subestimar tu esfuerzos.

Números de la suerte
4 - 11 - 12 - 20 - 28

Agosto 2024

Este mes vas a desear pasar tiempo con tus hijos, y con tu familia en general. Quizás vayan juntos de vacaciones a un lugar tropical. Todos estarán muy alegres y te divertirás mucho. Si no tienes hijos, entonces aprovecha ese estado de ánimo, y comparte con los hijos de tus amigos, que sin duda te lo agradecerán.

Si tú y tu pareja están planificando tener hijos este mes es el ideal. Durante este etapa estarás sociable y te nacerá un amor por los animales. Es probable que decidas acudir al refugio de animales y decidas adoptar alguno como mascota.

En el trabajo habrá un fuerte ambiente de tensión e incertidumbre que puede colocarte de cabeza al borde de un trastorno emocional. Si por casualidad tú no estás satisfecho en el trabajo, empieza a buscar uno mejor. Recuerda que tu salud mental es valiosa.

No te desesperes, ya que has logrado salir triunfador de peores escenarios.

Un buen ejercicio, para tu mente es que medites. Necesitas profundizar dentro de ti mismo para encontrar esa paz que tu piensas que está perdida, pero que esta escondida dentro de tu corazón. Todo cuanto necesitas ha estado desde siempre dentro de ti.

Números de la suerte
3 - 7 - 17 - 22 - 25

Septiembre 2024

Este mes anhelarás estar solo y en paz, porque deseas centrarte en ti mismo. Tienes muchas preguntas sin resolver que necesitan ser contestadas, y este periodo es perfecto para eso. La naturaleza es muy importante así que no te quedes en casa. Gracias a eso podrás disfrutar de una excelente salud mental y física, pero no olvides que tener el consejo de las personas que te quieren podría sacarte de cualquier crisis.

Hay cosas urgentes que necesitan ser resueltas a corto plazo, pero te está costando darles la solución adecuada enfócate en resolver todos estos problemas para que puedas seguir avanzando en tu vida. Lo peor que hay tener algo pendiente sin resolver.

Una persona de negocios muy conocida te va a buscar para ofrecerte hacer negocios, debes prestar mucha atención porque es una oportunidad muy buena.

Trata de no llevar las preocupaciones y el estrés del trabajo a todos las áreas de tu vida porque esto podría hacerte perder el equilibrio.

A final del mes tu fría dará motivos para hablar y despertará comentarios maliciosos a su alrededor.

Números de la suerte
2 - 10 - 19 - 25 - 36

Octubre 2024

Durante el mes de octubre querrás cambiar el ambiente de tu hogar y te complicarás reformándolo con mucha ilusión. Primero harás una limpieza profunda que llevas planificando hace mucho tiempo.

En tu relación te encontrarás en una situación que te pondrá muy celoso, te sentirás amenazado y comenzaras a pelear. No obstante, esa reacción es muy perjudicial, así que analiza bien la situación, para que con tu mente despejada evites actuar por impulsos. Además, la cosa no será tan grave como aparenta. Tu salud puede estar un poco débil sino respetas tus horas de descanso y la forma en que te nutres. En el trabajo tendrás algunas decepciones porque tu pensaste confiar en tus colegas de trabajo, pero una situación en particular te va a demostrar lo equivocado que estabas. Tu forma de ser y tus conocimientos han despertado la envidia de los que te rodean y por eso intentarán una traición. Es bueno saber con quién uno trabaja. No comiences con discusiones. Tómate tu tiempo para planear con tranquilidad una buena estrategia para reivindicarte.

Números de la suerte
1 - 9 - 11 - 17 - 26

Noviembre 2024

Estarás un poco introvertido este mes, y por esa razón tus amigos harán a un lado. estarás concentrado en hacer muchas cosas que son tus prioridades.

Tu sexto, se agudizará y esto te ayudará a ver las intenciones oscuras de las personas, evitando engaños.

Un problema emocional con alguien de tu familia podría darte deseos de huir y desaparecerte. No luches contra tus impulsos. Probablemente eso es justamente lo que tú necesitas para aclarar tu mente y poder enfrentarte a ese familiar.

Una persona muy especial va a llamar tu atención, es una persona que siempre ha sido un misterio para ti.

Debes darte la oportunidad de que este misterio se manifieste, no vayas a hacer ninguna interferencia. No olvides que el proceso es siempre mucho más importante que el resultado final. Debes confiar en tu intuición, porque experimentarás una aventura extremadamente romántica.

Si te gusta nadar, correr o hacer yoga, ¿por qué no hacerlas todas? Tu posees muchas energías y es bueno canalizarlas.

Números de la suerte

10 - 11 - 23 - 26 - 35

Diciembre 2024

Último mes del año, uno en donde te volverás loco de amor y feliz de tantas bendiciones que recibirás.

Vas a conocer a una persona que revolucionará tus hormonas, y los que tienen pareja deben ser muy cuidadosos porque estarán tentados a ser infieles.

Quizás te preguntes si realmente estas feliz en tu relación actual, necesitas responderte esta pregunta.

Estarán pasando muchas cosas en tu vida laboral y personal, aprende a calmarte. Una forma de hacerlo es escribiendo, haciendo ejercicios, o estudiando.

Tu potencial de liderazgo estará enfatizado y se expandirá a todas las áreas de tu vida, razón por la que debes controlar tu temperamento.

No dejes cosas inconclusas para el próximo año si tienes que terminar algo que empezaste hace algunos meses debes comenzar a terminarlo, ya sea un proyecto o algún problema que tengas que resolver.

Planifica bien todas las cosas que tienes el próximo año 2025, y lo más importante: no le des la oportunidad de volver a una persona que te hizo daño.

Números de la suerte
5 - 12 - 22 - 25 - 27

Las Cartas del Tarot, un Mundo Enigmático y Psicológico.

La palabra Tarot significa "camino real", el mismo es una práctica milenaria, no se sabe con exactitud quién inventó los juegos de cartas en general, ni el Tarot en particular; existen las hipótesis más disímiles en este sentido.

Algunos dicen que surgió en la Atlántida o en Egipto, pero otros creen que los tarots vinieron de la China o India, de la antigua tierra de los gitanos, o que llegaron a Europa a través de los cátaros. El hecho es que las cartas del tarot destilan simbolismos astrológicos, alquímicos, esotéricos y religiosos, tanto cristianos como paganos.

Hasta hace poco algunas personas si le mencionabas la palabra 'tarot' era común que se imaginaran una gitana sentada delante de una bola de cristal en un cuarto rodeado de misticismo, o que pensaran en magia negra o brujería, en la actualidad esto ha cambiado.

Esta técnica antigua ha ido adaptándose a los nuevos tiempos, se ha unido a la tecnología y muchos jóvenes sienten un profundo interés por ella.

La juventud se ha aislado de la religión porque consideran que ahí no hallarán la solución a lo que necesitan, se dieron cuenta de la dualidad de esta, algo que no sucede con la espiritualidad. Por todas las redes sociales te encuentras cuentas dedicadas al estudio y lecturas del tarot, ya que todo lo relacionado con el esoterismo está de moda, de hecho, algunas decisiones jerárquicas se toman teniendo en cuenta el tarot o la astrología.

Lo notable es que las predicciones que usualmente se relacionan al tarot no son lo más buscado, lo relacionado al autoconocimiento y la asesoría espiritual es lo más solicitado.

El tarot es un oráculo, a través de sus dibujos y colores, estimulamos nuestra esfera psíquica, la parte más recóndita que va más allá de lo natural. Varias personas recurren al tarot como una guía espiritual o psicológica ya que vivimos en tiempos de incertidumbre y esto nos empuja a buscar respuestas en la espiritualidad.

Es una herramienta tan poderosa que te indica concretamente qué está pasando en tu subconsciente para que lo puedas percibir a través de los lentes de una nueva sabiduría.

Carl Gustav Jung, el afamado psicólogo, utilizó los símbolos de las cartas del tarot en sus estudios psicológicos. Creó la teoría de los arquetipos, donde descubrió una extensa suma de imágenes que ayudan en la psicología analítica.

El empleo de dibujos y símbolos para apelar a una comprensión más profunda se utiliza frecuentemente en el psicoanálisis. Estas alegorías constituyen parte de nosotros, correspondiendo a símbolos de nuestro subconsciente y de nuestra mente.

Nuestro inconsciente tiene zonas oscuras, y cuando utilizamos técnicas visuales podemos llegar a diferentes partes de este y desvelar elementos de nuestra personalidad que desconocemos. Cuando logras decodificar estos mensajes a través del lenguaje pictórico del tarot puedes elegir que decisiones tomar en la vida para poder crear el destino que realmente deseas.

El tarot con sus símbolos nos enseña que existe un universo diferente, sobre todo en la actualidad donde todo es tan caótico y se les busca una explicación lógica a todas las cosas.

La Muerte, Carta del Tarot para Géminis 2024

Nuevos comienzos. Aperturas y cambios. Comenzarás una nueva vida con un estilo diferente.

La tristeza se queda atrás, los días felices y apacibles comienzan ahora en el 2024.

Representa el cambio de un patrón de creencia, de un estilo de vida. Simboliza el fin de ciclo o un cambio a través del dolor.

Simboliza todo lo que termina y nos obliga a pasar a un plano de existencia diferente. Esta carta permite cambiar los elementos presentes a un estado más sublime.

Posiblemente estás viendo que tus opciones están siendo restringidas a cada paso que das. El mejor curso de acción recae en lo único que puedes controlar: Enfréntate a esta situación con paciencia y debes estar listo para moverte cuando la situación cambie.

Evita el estrés y las emociones negativas siempre que se presenten.

Debes tomar las situaciones con más calma, a veces es mejor agachar la cabeza y callar para evitar conflictos innecesarios por asuntos sin poca importancia.

Runas del Año 2024

Las runas son un conjunto de símbolos que forman un alfabeto. "Runa" significa secreto y simboliza el ruido de una piedra chocando con otra. Las runas son un legendario método visionario y mágico.

Las runas no sirven para predicciones exactas, pero sí para orientarte sobre un hecho futuro, un tema o una decisión. Las runas tienen un significado específico para la persona que lo desee, pero también algún mensaje relacionado con las adversidades que se presentan en la vida.

SOWELU, Runa de Géminis 2024

Llego el momento de exponer a la luz ciertos secretos de tu vida. Esta Runa te obliga a admitir cosas que te has empeñado en esconder.

Este año 2024 es el año de actuar, renovarte y transformarte para que puedas tener abundancia. Para obtener esto es importante que estes abierto a las posibilidades, y que analices todo desde varias perspectivas.

Es recomendable que te apartes de todas las situaciones y personas que te causen stress. Debes dejar de ser orgulloso, la humildad es importante a la hora de enfrentar las limitaciones. No seas presumido, aunque seas virtuoso.

Esta runa te facilita las cosas por su poder de iluminar el camino. Es una ayuda para razonar y poder trazar un mapa claro a seguir, con el propósito de alcanzar tus objetivos.

Si tienes planes o proyectos estancados, es el momento de luchar para que progresen. Sowelu te da el impulso y te indica que es el momento de actuar. Sowelu te aconseja tener bien claros tus propósitos.

Esta runa representa el fuego que ilumina nuestro camino y las decisiones que tomamos.

Colores de la Suerte

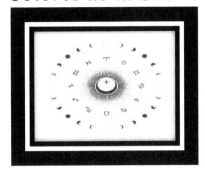

Los colores nos afectan psicológicamente; influyen en nuestra apreciación de las cosas, opinión sobre algo o alguien, y pueden usarse para influir en nuestras decisiones.

Las tradiciones para recibir el nuevo año varían de país a país, y en la noche del 31 de diciembre balanceamos todo lo positivo y negativo que vivimos en el año que se marcha. Empezamos a pensar qué hacer para transformar nuestra suerte en el nuevo año que se aproxima.

Existen diversas formas de atraer energías positivas hacia nosotros cuando recibimos el año nuevo, y una de ellas es vestir o llevar accesorios de un color específico que atraiga lo que deseamos para el año que va a comenzar.

Los colores tienen cargas energéticas que influyen en nuestra vida, por eso siempre es recomendable recibir el año vestidos de un color que atraiga las energías de aquello que deseamos alcanzar.

Para eso existen colores que vibran positivamente con cada signo zodiacal, así que la recomendación es que uses la ropa con la tonalidad que te hará atraer la prosperidad, salud y amor en el 2024. (Estos colores también los puedes usar durante el resto del año para ocasiones importantes, o para mejorar tus días.)

Recuerda que, aunque lo más común es usar ropa interior roja para la pasión, rosada para el amor y amarilla o dorada para la abundancia, nunca está demás adjuntar en nuestro atuendo el color que más beneficia a nuestro signo zodiacal.

Géminis

Amarillo.

Palabras claves del amarillo: *Felicidad, alegría, inteligencia, innovación, energía fortaleza, y poder.*

El color amarillo te aportará felicidad porque es un color brillante, alegre, que simboliza el lujo y el cómo estar de fiesta cada día.

Se asocia con la parte intelectual de la mente y la expresión de nuestros pensamientos.

Cuando utilices este color obtendrás un toque extra de energía, calidez, y un semblante juvenil. Este color cálido atraerá la atención de cualquier persona que este al lado tuyo y llenará de energía los espacios donde tu estes presente.

El amarillo beneficia la concentración y la memoria.

Amuletos para la Suerte

¿Quién no posee un anillo de la suerte, una cadena que nunca se quita o un objeto que no regalaría por nada de este mundo? Todos le atribuimos un poder especial a determinados artículos que nos pertenecen y ese carácter especial que asumen para nosotros los convierte en objetos mágicos. Para que un talismán pueda actuar e influir sobre las circunstancias, su portador debe tener fe en él y esto lo transformará en un objeto prodigioso, apto para cumplir todo lo que se le pida.

En el sentido cotidiano un amuleto es cualquier objeto que propicia el bien como medida preventiva contra el mal, el daño, la enfermedad, y la brujería.

Los Amuletos para la buena suerte pueden ayudarte a tener un año 2024 lleno de bendiciones en tu hogar, trabajo, con tu familia, atraer dinero y salud. Para que los amuletos funcionen adecuadamente no debes prestárselos a nadie más, y debes tenerlos siempre a mano.

Los amuletos han existido en todas las culturas, y están hechos a base de elementos de la naturaleza que sirven como catalizadores de energías que ayudan a crear los deseos humanos.

Al amuleto se le asigna el poder de alejar los males, los hechizos, enfermedades, desastres o contrarrestar los malos deseos lanzados a través de los ojos de otras personas.

Amuleto para Géminis

Arcángel San Miguel.

El arcángel Miguel es el más famoso de los arcángeles. Es el más invocado y al que más personas piden ayuda. Todo esto se debe a que es un guerrero espiritual. Debes usar una imagen de San Miguel para

invocar sus bendiciones y para que te conceda fuerza y protección sobre las fuerzas del mal.

Este arcángel también te ayudará a encontrar el propósito de tu vida. Invocarlo cuando necesites ayuda te dará la valentía y determinación que necesitas. Cuando lo evocas en momentos de angustia te ayuda recuperar la calma.

Cuando tú lo llames, el intervendrá y luchará por ti para que puedas deshacerte de la negatividad.

Cuarzos de la Suerte

Todos nos sentimos atraídos por los diamantes, rubíes, esmeraldas y zafiros, evidentemente son piedras preciosas. También son muy apreciadas las piedras semipreciosas como la cornalina, ojo de tigre, cuarzo blanco y el lapislázuli ya que han sido usadas como ornamentos y símbolos de poder por miles de años.

Lo que muchos desconocen es que ellos eran valorados por algo más que su belleza: cada uno tenía un significado sagrado y sus propiedades curativas eran tan importantes como su valor ornamental.

Los cristales siguen teniendo las mismas propiedades en nuestros días, la mayoría de las personas están familiarizadas con los más populares como la amatista, la malaquita y la obsidiana, pero actualmente hay nuevos cristales como el larimar, petalita y la fenacita que se han dado a conocer.

Un cristal es un cuerpo solido con una forma geométricamente regular, los cristales se formaron cuando la tierra se creó y han seguido metamorfoseándose a medida que el planeta ha ido cambiando, los cristales son el ADN de la tierra, son almacenes en miniatura que contienen el desarrollo de nuestro planeta a lo largo de millones de años.

Algunos han sido sometidos a enormes presiones y otros crecieron en cámaras profundamente enterradas bajo tierra, otros gotearon hasta llegar a ser. Tengan la forma que tengan, su estructura cristalina puede absorber, conservar, enfocar y emitir energía. En el corazón del cristal está el átomo, sus electrones y protones. El átomo es dinámico y está compuesto por una serie de partículas que rotan alrededor del centro en movimiento constante, de modo que, aunque el cristal pueda parecer inmóvil, en realidad es una masa molecular viva que vibra a cierta frecuencia y esto es lo que da la energía al cristal.

Las gemas solían ser una prerrogativa real y sacerdotal, los sacerdotes del judaísmo llevaban una placa sobre el pecho llena de piedras preciosas la cual era mucho más que un emblema para designar su función, pues transfería poder a quien la usaba.

Los hombres han usado las piedras desde la edad de piedra ya que tenían una función protectora guardando de diversos males a sus portadores. Los cristales actuales tienen el mismo poder y podemos seleccionar nuestra joyería no solo en función de su atractivo externo, tenerlos cerca de nosotros puede potenciar nuestra energía (cornalina naranja), limpiar el espacio que nos rodea (ámbar) o atraer riqueza (citrina).

Ciertos cristales como el cuarzo ahumado y la turmalina negra tienen la capacidad de absorber la negatividad, emiten una energía pura y limpia.

Usar una turmalina negra alrededor del cuello protege de las emanaciones electromagnéticas incluyendo la de los teléfonos celulares, una citrina no sólo te atraerá riquezas, sino que también te ayudará a conservarlas, sitúala en la parte de la riqueza en tu hogar (la parte posterior izquierda más alejada de la puerta de entrada). Si estás buscando amor, los cristales pueden ayudarte, sitúa un cuarzo rosado en la esquina de las relaciones en tu casa (la esquina derecha posterior más alejada de la puerta principal) su efecto es tan potente que conviene añadir una amatista para compensar la atracción.

También puedes usar la rodocrosita, el amor se presentará en tu camino.

Los cristales pueden curar y dar equilibrio, algunos cristales contienen minerales conocidos por sus propiedades terapéuticas, la malaquita tiene una alta concentración de cobre, llevar un brazalete de malaquita permite al cuerpo absorber mínimas cantidades de cobre.

El lapislázuli alivia la migraña, pero si el dolor de cabeza es causado por estrés, la amatista, el ámbar o la turquesa situados sobre las cejas lo aliviarán.

Los cuarzos y minerales son joyas de la madre tierra, date la oportunidad, y conéctate con la magia que desprenden.

Cuarzo de la Suerte para Géminis

Cuarzo blanco o cristal de roca.

Un receptor de energía por excelencia, y amplificador de las vibraciones positivas en todos los niveles. Ayuda con la concentración mental, y refuerza o potencia los otros cuarzos. Es el más utilizado terapéuticamente.

Simboliza la felicidad, y en ocasiones se utiliza para honrar un nacimiento o para ofrecer paz después de la muerte. Su principal función es brindar equilibrio, y paz movilizando o desactivando las energías.

Te ayudará a resistir los malos momentos, pensamientos negativos como las culpas, o los problemas emocionales. También te protege de los miedos y ansiedades. Sus propiedades curativas mejoran el conocimiento y acentúan la agilidad mental. Ayuda a hacer memoria más rápido y aprender ya que incrementa el conocimiento y la facultad de escuchar.

Con este cristal, te volverás paciente.

Compatibilidad de Géminis y los Signos Zodiacales

Géminis, es un signo de aire que puede desenvolverse sin problemas entre sus amigos, fiestas y noches de rumba. Géminis está regido por Mercurio, el planeta de la comunicación, por lo que siempre puede encontrar temas interesantes para conversar

Géminis es un excelente anecdotista, y su energía dinámica y magnetismo atraen a las parejas románticas. Las personas celosas deben saber que Géminis nunca está solo, ya que siempre tiene fans y seguidores. Como Géminis expresa sus emociones externamente, le encanta conversar. Esta autoexpresión es primordial para el mellizo mercurial, por lo que necesita que todas las líneas de comunicación estén abiertas, y dispuestas a recibir información, a su geminiano.

En realidad, no le importa cómo se transmiten sus ideas, la acción de compartir sus pensamientos es más importante que lo que dice. No hay nada que Géminis desprecie más que el ocio, él está siempre ocupado. No para de hacer tejemanejes con sus múltiples entretenimientos, inclinaciones, y obligaciones sociales.
Este signo de aire puede quejarse de estar sobrecargado de trabajo, pero cuando tu analizas su agenda diaria todas sus diligencias son opcionales, lo que demuestra que la agenda de Géminis no es más que el resultado de su dualidad exclusiva.

A Géminis le fascina compartir sus pensamientos e ideas, pero no sabe escuchar, se distrae con facilidad, así que es clave que te asegures que tu pareja Géminis te preste atención.

Si por casualidad ves que se aleja de la plática, no dudes en decírselo y recordarle que la comunicación es entre dos. No es fácil mantener el interés de Géminis, de hecho, él no sabe cómo mantenerse enfocado. Este signo prácticamente ya lo ha visto todo y la mejor manera de mantener su mirada fija es mantenerlo en sus pies.

Has los cambios necesarios, y no olvides que nunca debes comprometer tus valores o necesidades. A medida que conozcas a Géminis, diviértete descubriendo tu propia multi - diversidad. La técnica de seducción que funciona con Géminis es hablar, y al ser el signo más polifacético, le encantará decirte sus aficiones e intereses.

Como es tan curioso, conversar con este signo es como como mirarse al espejo, ya que tiene la maravillosa habilidad de reflejar lo que tú le digas. Esto puede parecer un extraño, pero realmente es que es la naturaleza de este signo. Salir con un Géminis es una experiencia estimulante, debes ser cuidadoso porque Géminis requiere una estimulación constante, lo que a veces dificulta conocerlo a nivel emocional profundamente. Asegúrate de sacar tiempo para sentarte y charlar con tu compañero Géminis sin distracciones, y no temas recordarle que las recepciones placenteras no son nunca tiempo perdido.

Géminis adora el sexo, para él es otra forma de comunicación. Géminis posee un apetito sexual fuerte, y para excitarlo, basta con un par de comentarios perspicaces. Cuando se trata de hablar sucio, Géminis escribió una enciclopedia, así que puedes excitarlo explicándole exactamente lo que te gusta hacer en la cama. De esta forma sentirá y analizará al mismo tiempo, una combinación que él es orgásmica.

Una de las particularidades de Géminis es la rapidez con la que puede recuperarse de los errores más devastadores. A diferencia de otros signos, él no se rige por su ego. Le gusta divertirse, así que no deja que su ego se interponga en su camino, por eso, cuando comete un error, nunca se pone a la defensiva.

Si Géminis tiene que ofrecer una disculpa lo hará inmediatamente. Aunque esta cualidad es súper respetada, no es completamente generosa. Géminis espera que tú aceptes sus disculpas con la misma prisa.

Géminis es más feliz cuando está ocupado, en cuanto su calendario se vuelve demasiado relajado, encuentra la forma de cambiar las cosas. No es que le atemorice, lo que pasa es que no le gusta aburrirse.

Todo esto puede es un reto para las parejas de Géminis. Las relaciones estables requieren mucho cuidado, y Géminis no puede ofrecerlo con facilidad, por eso cuando está en pareja, necesita asegurarse de que está priorizando sus relaciones.

Como este signo de aire está dispuesto a probarlo todo al menos una vez, pero algunas veces dos, disfruta explorando diversos aspectos de su personalidad a través de sus relaciones románticas.

Aunque que no lo proyecte, Géminis busca a una pareja serena que equilibre su espacio íntimo o familiar, ya que para modificaciones ya tiene es suficientes con las suyas. Este signo de aire está constantemente buscando con quién puede mantener una buena relación, y por esa razón siempre está divagando.

Géminis y Aries *es una relación fuerte con todo tipo de dinámicas incluidas amistad, y romance. Lo mismo Aries, como Géminis disfrutan de sus errores y aprecian el ímpetu del otro. Con sus bromas, palabras en clave y diversión, Géminis y Aries sacan lo mejor del otro.*
El peligro, sin embargo, es que es que ni Géminis, ni Aries son particularmente buenos para dar por terminada la noche.
En esta pareja, es importante que alguno asuma la responsabilidad. De lo contrario, puede ser difícil

para estos amantes de la fiesta cultivar una relación sana y emocionalmente sólida.

Géminis y Tauro no es una relación cómoda, pero si ambos están comprometidos, pueden conseguir una relación duradera. Tauro, con su carácter fuerte, nunca teme establecer fronteras. Géminis tiene una forma completamente diferente de ver el mundo, por lo que él no entiende la ávida exigencia de seguridad de Tauro. Sin embargo, si pueden negociar entre la permanencia y la transitoriedad, pueden educarse mutuamente lecciones inapreciables.

Si Tauro y Géminis están dispuestos a hacer cambios sustanciales para compensar las necesidades del otro, esta relación tiene el potencial de ser desafiante y entretenida.

Dos Géminis, es como una fiesta a pleno día. Se entienden profundamente, y nunca se cansan. El problema con esta pareja es que pueden carecer de perspectiva.
Para que una relación Géminis² tenga éxito a largo plazo, cada uno debe asegurarse de aprender a escuchar. Ambos tendrán muchas ideas innovadoras, pero a menos que uno de los dos esté dispuesto a ofrecer estabilidad, corren el riesgo de perder el control y matar la relación.

Géminis y Cáncer pueden construir una relación bonita si lo desean. Cáncer, tiene un enfoque de la *vida muy característico porque es muy sensible e intuitivo, y necesita mucho amor, y validación para sentirse seguro.*

Al principio, puede parecer que el cerebral Géminis nunca podría ofrecer ese tipo de configuración, pero Géminis es flexible. Si Cáncer sabe cómo comunicar sus necesidades directamente, Géminis se esforzará para satisfacer sus requerimientos.

Las emociones profundas y la sensibilidad de Cáncer también se ven retadas por la desapego de Géminis. No obstante, si Géminis se quita la careta, ésta puede ser una pareja que vale la pena mantener.

En última instancia, aunque este relación requiere un poco de esfuerzo e inversión, estos signos pueden construir una conexión compasiva y divertida.

***Géminis y Leo** son el espíritu de cualquier fiesta, juntos forman una pareja eficaz y activa a la que hay que notar y escuchar. A Leo le seduce ser el centro de la acción y, no hay nada que seduzca más a Géminis que encontrar celebración.*

Estos dos embajadores sociales son felices en reuniones, pero difieren en muchos puntos. A Leo le encanta brillar ante el público, pero al final lo que busca es una relación honesta.

A Géminis, en cambio no le interesa impresionar a nadie. De hecho, a Géminis lo que le importa en alimentar sus ávidas ansias de curiosidad. Cuando Leo quiere establecer confianza, Géminis quiere divertirse.

Como resultado Leo puede apreciar a Géminis como insensible, mientras que Géminis puede frustrarse por la necesidades de Leo.
Sin embargo, a través de la comunicación, ellos pueden aprender a tener una relación basada en la búsqueda y la diversión.

Géminis y Virgo, *están regidos por Mercurio, el planeta de la comunicación, por eso, comparten un entendimiento sublime y un aprecio por la expresión. Sin embargo, a pesar de esta influencia, estos dos signos tienen formas muy distintas de transmitir información. Géminis es todo evasiva, mientras que Virgo es eminentemente acceso.*

Géminis es perspicaz y rápido con sus pensamientos, mientras que Virgo, es astuto analista y procesador, prefiere ideas sólo después de organizarlas apropiadamente. Como resultado, un relación entre estos dos signos requiere que trabajen fuerte para asegurarse de que comparten y se escuchan por igual.

De lo contrario, es probable que Géminis acabe monopolizando la conversación, mientras Virgo almacena un taciturno enojo hacia su camarada exorbitantemente charlatán.

Géminis, es sociable y también puede poner frenético o celoso a Virgo, sin embargo, cuando cada signo baja la guardia y decide divertirse, esta relación tiene potencial.

Entre **Géminis y Libra** existe una conexión instantánea cuando se acoplan. Ambos se alinean en cabal equilibrio. Ellos dos comparten pláticas divertidas, historias encantadores y muchas festividades fabulosas. Sin embargo, la tirantez puede surgir cuando Libra, con todo su glamour, se siente defraudado por las bromas de Géminis.

La verdad es que Géminis habla de todo con todo con cualquier persona, y Libra, es más selectivo a la hora de iniciar una conversación, algo que Géminis puede encontrar un poco presuntuoso. Sin embargo, si cada signo es capaz de acatar el enfoque del otro, la pareja puede durar mucho tiempo.

Géminis y Escorpión se desnivelan fácilmente. Géminis está demasiado ocupado por las muchas emociones de la vida como para dejarse atrapar por un drama en específico, mientras que Escorpión nunca osaría bajar la guardia a menos que supiera que se trata de una realidad.

Curiosamente, Géminis y Escorpión se sienten atraídos de una forma poderosa y seductora. A

Géminis le hipnotiza lo espiritual de Escorpión, y Escorpión se preocupa con tratar de ganar el cariño de Géminis.

Al principio, la relación está estimulada por el deseo, pero una vez instituida la pareja, deben enfrentarse a algunos dificultades importantes. El ingenioso Géminis necesita libertad, mientras que el poderoso Escorpión exige una lealtad inquebrantable.

Y mientras Géminis es flexible, Escorpión se aferra a sus sentimientos, así que es importante que ambos practiquen la lectura de las modalidades del otro. Esta pareja no es fácil, pero tienen una química extraordinaria, especialmente sexual, y esto puede hacer que esta relación valga la pena todo el trabajo.

Géminis y Sagitario *son compatibles, de hecho, esta pareja es una de las más dinámicas de todo el zodíaco. Estos signos son vagabundos por naturaleza y cuando se unen forman una pareja de poder increíblemente primorosa amante de la recreación.*

Tienen enfoques afines de la vida y se acercan al mundo con el mismo frenesí, y optimismo. Géminis y Sagitario son narradores naturales, y la estimulación mental entre estos dos signos provoca que las neuronas se proyecten a gran velocidad.

Básicamente, se trata de un relación que no requiere mucho trabajo, pero no deben dar por garantizada su relación. Cada relación requiere confianza y compromiso, por lo que ambos deben asegurarse de no tomarse demasiadas libertades.

Circunstancialmente, el ego de Sagitario puede causar problemas, pero Géminis con sus habilidades de sugestión sabrá encauzar las circunstancias. Evidentemente Sagitario tiene mucho de qué vanagloriarse, pero debería ser más humilde.

Géminis y Capricornio, es una relación que lleva mucha dedicación. Capricornio se queda embobado ante Géminis. El signo más trabajador del zodíaco no entiende cómo alguien tan errático puede lograr tantos éxitos. Mientras Capricornio se desgasta trabajando, Géminis, como un hechicero muestra las variadas formas en que logra el éxito, dejando a Capricornio asombrado y completamente enamorado.

A través de la comunicación, estos dos pueden aprender gradualmente a entenderse mejor. Para construir una relación sana, Capricornio debe consentir a que Géminis cambie de opinión con frecuencia.

Géminis debe comunicar su proceso de pensamiento a Capricornio, para que su terrenal compañero pueda razonar los motivos de sus desproporcionados cambios de opinión. En definitiva, la dinámica de esta relación puede funcionar, pero requerirá consagración de ambas partes.

Géminis y Acuario *tienen ideas semejantes. Acuario se siente muy intrigado por el perspicaz Géminis, y este por su parte, se siente encantado por la actitud inalterable y la profundamente humanitaria pasión de Acuario.*

Géminis y Acuario se entienden con madurez y saben cómo agudizar la imaginación del otro con un gran diálogo. Sin embargo, Acuario es conocido por sus extremistas ideas rebeldes, lo cual, aunque maravilloso, puede molestar a Géminis, que suele preferir la familiaridad a la rebeldía. Sin embargo, a pesar de una pequeña elipse de instrucción, es fácil para estos dos aprender a estar juntos. Esta relación puede convertirse en un romance formal y duradero con el tiempo.

Géminis y Piscis *tienen una relación compleja. Como Géminis está personificado por los gemelos, este signo de aire lleva su dualidad en el rostro. Por su parte, los múltiples perfiles de Piscis son menos visibles a simple vista.*

El signo de Piscis representa dos peces unidos que se mueven en direcciones contrapuestas, simbolizando su relación tanto con el reino sutil, como con el terrenal.

Como ambos tienen dos caras comprenden recíprocamente su necesidad de libertad e investigación. Sin embargo, ni a Géminis, ni a Piscis se les da bien crear límites, por lo que esta pareja debe pelear mucho para poder crear una dinámica.

Piscis, es sensible y puede sospechar de los propósitos que se esconden tras la astuta sutileza de Géminis. Mientras tanto, es probable que Géminis piense que Piscis es excesivamente dramático. Para funcionar, esta pareja necesita comunicarse honestamente y sin juegos.

La Luna en Géminis

La Luna no se encuentra cómoda en el signo de Géminis. Los signos del Aire no saben cómo lidiar con las emociones intensas, y Géminis específicamente se mueve tan rápido que mantener emociones profundas le resulta muy difícil.

La Luna en Géminis, se expresa habitualmente con pequeños flashes acompañados de cambios de humor repentinos.

Géminis prefiere actuar en el área de lo social y mental.

La Luna en Géminis quiere ser libre para explorar la dualidad y experimentar el rango completo de emociones, moviéndose libremente entre extremos opuestos de una situación.

Si tu Luna está en el signo de Géminis, te sentirás más seguro cuando exploras ideas novedosas y disfrutas interactuando socialmente con otros.

Géminis es un signo que funciona mejor operando en la superficie ya que no está interesado en profundizar en el mundo emocional.

Si tu Luna está en Géminis, tu zona de confort se relaciona con mantener abierto un abanico de opciones. Tu necesitas sentir que eres libre de crear tu propia opinión acerca de diferentes situaciones.

Siempre te vas a sentir más cómodo cuando puedas concentrarte en asuntos más abstractos e intelectuales.

Las palabras y el lenguaje son específicamente más importantes para ti. Todas tus preocupaciones relacionadas con la seguridad involucran cómo te comunicas en cualquier situación contigo tu propia persona.

La importancia del Signo Ascendente

El signo solar tiene un impacto importante en quiénes somos, pero el ascendente es el que nos define realmente, e incluso esa podría ser la razón por qué no te identificas con algunos rasgos de tu signo zodiacal.

Realmente la energía que te brinda tu signo solar hace que te sientas diferente al resto de las personas, por ese motivo, cuando lees tu horóscopo algunas veces te sientes identificado y les da sentido a algunas predicciones, y eso sucede porque te ayuda a entender cómo podrías sentirte y lo que te sucederá, pero solo te muestra un porciento de lo que realmente pudiera ser.

El ascendente por su parte se diferencia del signo solar porque refleja quiénes somos superficialmente, es decir, cómo te ven los demás o la energía que les transmites a las personas, y esto es tan real que puede darse el caso que conozcas a alguien y si predices su signo es posible que hayas descubierto su signo ascendente y no su signo solar.

En síntesis, las características que ves en alguien cuando lo conoces por vez primera es el ascendente, pero como nuestras vidas se ven afectadas por la manera que nos relacionamos con los demás, el ascendente tiene un impacto importante en nuestra vida cotidiana.

Es un poco complejo explicar cómo se calcula o determina el signo ascendente, porque no es la posición de un planeta el que lo determina, sino el signo que se elevaba en el horizonte oriental en el momento de tu nacimiento, a diferencia de tu signo solar, depende de la hora precisa en que naciste.

Gracias a la tecnología y al Universo hoy es más fácil que nunca saber esta información, por supuesto si conoces tu hora de nacimiento, o si tienes una idea de la hora pero que no haya un margen de más de horas, porque hay muchos websites que te hacen el cálculo introduciendo los datos, astro.com es uno de ellos, pero por existen infinidades.

De esta manera, cuando leas tu horóscopo también puedes leer tu ascendente y conocer detalles más personalizados, tú vas a ver que a partir de ahora si haces esto tu forma de leer el horóscopo cambiará y sabrás porque ese Sagitario es tan modesto y pesimista si en realidad ellos son tan exagerados y optimistas, y esto se deba quizás porque tiene un Ascendente Capricornio, o porque ese colega de Escorpión siempre está hablando de todo, no dudes que tenga un Ascendente de Géminis.

Les voy a sintetizar las características de los diferentes ascendentes, pero esto es también muy general ya que estas características son modificadas por planetas en conjunción con el Ascendente, planetas que aspectan al Ascendente, y la posición del planeta regente del signo en el Ascendente.

Por ejemplo, una persona con un Ascendente de Aries con su planeta regente, Marte, en Sagitario responderá al entorno de forma un poco diferente a otra persona, también con un Ascendente de Aries, pero cuyo Marte está en Escorpión.

Del mismo modo, una persona con un Ascendente de Piscis que tiene Saturno en conjunción con él se "comportará" de manera diferente a alguien con un Ascendente de Piscis que no tiene ese aspecto.

Todos estos factores modifican el Ascendente, la astrología es muy compleja y no se lee ni se hacen horóscopos con cartas del tarot, porque la astrología además de ser un arte es una ciencia.

Puede ser habitual confundir estas dos prácticas y esto es debido a que, aunque se trata de dos conceptos totalmente diferentes, presentan unos puntos en común. Uno de estos puntos en común se basa en su origen, y es que ambos procedimientos son conocidos desde la antigüedad.

También se parecen en los símbolos que utilizan, ya que ambos presentan símbolos ambiguos que es necesario interpretar, por lo que requiere de una lectura especializada y es necesario tener una formación para saber interpretar estos símbolos.

Diferencias, hay miles, pero una de las principales es que mientras que en el tarot los símbolos son perfectamente comprensibles a primera vista, al tratarse de cartas figurativas, aunque haya que saber interpretarlos bien, en la astrología observamos un sistema abstracto el cual es necesario conocer previamente para interpretarlos, y por supuesto hay que decir, que, aunque podamos reconocer las cartas del tarot, cualquiera no puede interpretarlos de modo correcto.

La interpretación es también una diferencia entre las dos disciplinas porque mientras el tarot no tiene una referencia temporal exacta, ya que las cartas se sitúan en el tiempo solo gracias a las preguntas que se realizan en la tirada correspondiente, en la astrología sí que se hace referencia a una posición específica de los planetas en la historia, y los sistemas de interpretación que utilizan ambos son diametralmente opuestos.

La carta astral es la base de la astrología, y el aspecto más importante para realizar la predicción. La carta astral debe estar perfectamente elaborada para que la lectura tenga éxito y se puedan conocer más cosas acerca de la persona.

Para elaborar una carta astral, es necesario conocer todos los datos sobre el nacimiento de la persona en cuestión.

Es preciso que se sepa con exactitud, desde la hora exacta en que se dio a luz, hasta el lugar donde se hizo.

La posición de los planetas en el momento del nacimiento desvelará al astrólogo los puntos que necesita para elaborar la carta astral.

La astrología no se trata solamente de conocer tu futuro, sino de conocer los puntos importantes de tu existencia, tanto del presente como del pasado, para poder tomar mejores decisiones para decidir tu futuro.

La astrología te ayudará a conocerte mejor a ti mismo, de modo que podrás cambiar las cosas que te bloquean o potenciar tu cualidades.

Y si la carta astral es la base de la astrología, la tirada del tarot es fundamental en esta última disciplina. Igual que quien te realiza la carta astral, el vidente que te realice la tirada del tarot, será la clave en el éxito de tu lectura, por eso lo más indicado es que preguntes por tarotistas recomendadas, y aunque seguramente no te podrá responder concretamente a todas las dudas que te plantees en tu vida, una correcta lectura de la tirada del tarot, y las cartas que salgan en dicha tirada, te ayudarán a guiarte acerca de las decisiones que tomes en tu vida.

En resumen, la Astrología y el tarot utilizan simbología, pero la cuestión primordial es como se interpreta toda esta simbología.

verdaderamente una persona que domine ambas técnicas, sin duda, va a ser una gran ayuda a las personas que le van a pedir consejo.

Muchos astrólogos combinamos ambas disciplinas, y la práctica habitual me ha enseñado que ambas suelen fluir muy bien, aportando un componente enriquecedor en todos los temas de predicción, pero no son lo mismo y no se puede hacer horóscopo con cartas del tarot, ni se puede hacer una lectura del tarot con una carta astral.

Ascendente en Géminis

Si tienes Ascendente en Géminis afrontas la vida con curiosidad por todo lo que te rodea.

Posees mucha versatilidad, y por esa razón no tienes dificultad para adaptarte a cualquier situación.

En ocasiones pierdes tu enfoque con facilidad ya que te interesas por demasiadas cosas a la vez, y algunas veces no llegas a afianzar ninguna.

La pareja es muy importante para ti, si tienes el Ascendente en Géminis, ya que temes perderte en tu océano mental y necesitas a alguien que te ayude a salir de ese laberinto.

Siempre tratas de mostrar una personalidad alegre, carismática y sociable. Tienes un carisma encantador y por eso te resulta fácil ganarte a las personas.

En ocasiones puedes tener actitudes absurdas, esto es debido a que te interesas en demasiadas cosas a la vez y esto puede verse reflejado en tu actitud hacia el entorno.

Las personas con Ascendente en Géminis pueden pensar algo y a las horas pensar todo lo contrario, pero esa inestabilidad forma parte de su encanto.

Aries – Ascendente Géminis

Estas personas son muy expresivas, la iniciativa de Aries se combina con la curiosidad de Géminis. Estos individuos les gusta estar siempre intercambiando ideas.

En el área sentimental, les resulta muy fácil establecer intimidad con sus parejas, pero algunas veces pueden desestabilizar a su pareja porque son muy inestables.

En el trabajo son personas innovadoras y con mucha iniciativa. Su creatividad y la facilidad de adaptarse a todo es sobresaliente.

Es posible que se dejen llevar por la charlatanería, siendo proclives a la superficialidad.

Tauro – Ascendente Géminis

Tauro con Ascendente Géminis son personas sensibles.

En el ámbito laboral tienen intuición para los negocios y las oportunidades, saben guardar secretos e interactuar cuando es apropiado.

En sus relaciones sentimentales son personas agradables, saben cómo manejar las situaciones difíciles, pero valoran mucho su espacio, y este es un requisito básico para que sus relaciones funcionen.

Este ascendente tiene tendencia al aislamiento, sobre todo, si pasan por algún momento difícil, como una ruptura amorosa.

Géminis – Ascendente Géminis

Géminis con Ascendente Géminis es una persona que tiene reforzada las características de este signo. Son individuos con gran agilidad mental, y con una curiosidad infinita.

Son masters en la comunicación y asimilan cualquier idea con facilidad, ganando la mayoría de las discusiones donde participen. Siempre tienen muchas amistades y relaciones.

En el área laboral, les irá muy bien en un trabajo relacionado con la comunicación. No obstante, su inestabilidad puede ponérselo difícil para terminar sus proyectos.

En las relaciones amorosas no son personas serias. Son seductores, pero no tienen la constancia como para mantener algo formal.

Algunas veces hablan sin pensar, diciendo lo primero que cruza por su mente y esto ocasiona muchos problemas.

Cáncer – Ascendente Géminis

Cáncer con Ascendente en Géminis son personas comunicativas, con mucha imaginación y creativas.

Se enamoran fácilmente, pero también se desilusionan pronto. Este tipo de personas son encantadoras, pero egocéntricas, y caprichosas.

En el plano laboral, son devotos al trabajo, tienen muchas habilidades para los negocios, y son muy persuasivos.

Leo – Ascendente Géminis

Leo con Ascendente en Géminis son sociables. La versatilidad de Géminis le permite a Leo ser más flexible. Adoran viajar, conocer nuevos lugares, culturas, y pensamientos.

En el plano laboral, razonan muy rápido y son persuasivos, logrando exponer con habilidad todas sus ideas.

En sus relaciones sentimentales son unos profesionales en el arte de la seducción. Les encanta llamar la atención y que le hagan caso. No son muy dados al compromiso, ya que necesitan libertad y experimentar con múltiples parejas.

Virgo – Ascendente Géminis

Esta combinación de signos usualmente es reservada y aprecian mucho su privacidad y soledad.

En el ámbito laboral aman los desafíos, son bastante inestables, algo que también se manifiesta a la hora de iniciar una relación.

Se inclinan más por el amor platónico, es decir una relación que no conlleve un compromiso. Para ganártelos debes apelar a su lado intelectual.

Estas personas se preocupan excesivamente por su estabilidad familiar.

Libra – Ascendente Géminis

Libra con Ascendente Géminis son personas muy extrovertidas, y juveniles. En el plano laboral valoran todo lo que tenga que ver con la creatividad.

En sus relaciones sentimentales les gusta compartir su vida con alguien que disfrute, son muy fieles y usualmente sus relaciones son duraderas ya que siempre están en comunicación con su pareja.

Algunos suelen ser proclives a crearse falsas expectativas a la hora de comenzar una relación, lo que hace que tengan muchas rupturas.

Escorpión – Ascendente Géminis

Escorpión Ascendente Géminis es una de las mentes más extraordinarias. Estas personas pueden lograr todo aquello que se proponen, ya que saben cómo y cuándo activar su potencial.

En el ámbito laboral, tienen dotes de lideres, y sobresalen por su energía y eficacia. Son productivos y esto los empuja siempre al éxito.

En sus relaciones sentimentales son muy racionales, es muy difícil descifrar qué están pensando ya que son personas que no les gusta exponer sus sentimientos.

Si se lo proponen pueden ser románticos, aunque son impulsivos e impacientes.

Algunas veces son personas manipuladoras, y pueden abusar de su autoridad.

Sagitario – Ascendente Géminis

Sagitario con Ascendente Géminis son personas extrovertidas y agradables. Sin embargo, pueden tener una personalidad inestable, cambiando de gustos rápidamente. Tienen un gran sentido de la justicia y analizan detenidamente cualquier situación para siempre llegar al veredicto más imparcial.

En el ámbito laboral, siempre tienen éxito en el campo de las comunicaciones y son mediadores dentro de su empresa.

Valoran mucho a su pareja, sin embargo, esta tiene que aportarles estímulo intelectual, y brindarles conversación puesto que son personas que aman hablar.

Algunos tienen demasiadas relaciones, y no llegan a establecerse seriamente con ninguna.

Capricornio – Ascendente Géminis

Capricornio con Ascendente Géminis son personas que tienen una gran percepción y mucha responsabilidad.

En el ámbito laboral muestran mucho interés en todo aquello que hacen.

En el amor triunfan porque concentran sus esfuerzos para conquistar a la otra persona. No obstante, se les dificulta verse atraídos por alguien.

Algunas de estas personas son irónicas, lo cual les obstaculiza relacionarse.

Acuario – Ascendente Géminis

Acuario con Ascendente Géminis son personas idealistas y filosóficas. Son bondadosos y disfrutan mucho de su libertad.

En el área profesional son receptivos en cualquier actividad y sobresalen por su originalidad.

En el plano sentimental tienen facilidad para comenzar cualquier tipo de relación. No obstante, valoraran la amistad por encima del amor, y no soportan verse confinados en una relación.

Son muy excéntricos en ocasiones se exponen a peligros con tal de reafirmar su libertad.

Piscis – Ascendente Géminis

Piscis con Ascendente Géminis busca realizarse profesionalmente.

En el ámbito laboral muestran una capacidad increíble para todo, incluso de forma sincrónica.

En el amor debido a su inestabilidad, son personas difíciles para convivir. Esto es una dificultad a largo plazo. Son muy susceptibles a las palabras.

Rituales para el Mes de Enero

Enero 2024

Domingo	Lunes	Martes	Miércoles	Jueves	Viernes	Sábado
	1	2	3	4	5	6
7	8	9	10	11 Luna Nueva	12	13
14	15	16	17	18	19	20
21	22	23	24	25 Luna Llena	26	27
28	29	30	31			

Enero 11, 2024 Luna Nueva Capricornio 20°44'

Enero 25, 2024 Luna Llena Leo 5°14

Mejores rituales para el dinero

Jueves 11 de enero del 2024 (*día de Júpiter*). *Luna Nueva en Capricornio, un signo de estabilidad. Buen día organizar nuestras metas, nuestras vocaciones, nuestra carrera, para obtener honores. Para pedir un aumento de sueldo, para hacer presentaciones, hablar en público. Para hechizos relacionados al trabajo o dinero. Rituales relacionados con obtener ascensos y promociones, las relaciones con superiores y conseguir el éxito.*

Jueves 25 de enero 2024 (*día de Venus*) *Favorable para los hechizos de dinero, amor y asuntos legales. Rituales relacionados con prosperidad y obtención de empleos.*

Ritual para la Suerte en los Juegos de Azar

En un billete de lotería escribes la cantidad de dinero que quieres ganar en la parte delantera del billete y en el reverso tu nombre. Quemas el billete con

una vela color verde. Recoge las cenizas en un papel violeta y entiérralas.

Ganar Dinero con la Copa Lunar. Luna Llena

Necesitas:
- *1 copa de cristal*
- *1 plato grande*
- *Arena fina*
- *Purpurina dorada (glitter)*
- *4 tazas de sal marina*
- *1 cuarzo malaquita*
- *1 taza de agua de mar, de rio o sagrada*
- *Ramas de canela o canela en polvo*
- *Albahaca seca o fresca*
- *Perejil fresco o seco*
- *Granos de maíz*
- *3 billetes de denominación corriente*

Coloca dentro de la copa los tres billetes doblados, las ramas de canela, los granos de maíz, la malaquita, la albahaca y el perejil. Mezcla la purpurina con la arena y agrégala en la copa hasta llenarla completamente. Bajo la luz de la Luna Llena, coloca el plato con las cuatro tazas de sal marina.

Coloca la copa en el medio del plato, rodeada por la sal. Derrama la taza de agua sagrada en el plato, de forma que humedezca bien la sal, déjalo toda la noche a la luz de la Luna Llena, y parte del día hasta que el agua se vaporice y la sal esté nuevamente seca.

Agregas cuatro o cinco granitos de sal a la copa y botas el resto.

Lleva la copa para adentro de tu casa, en algún lugar visible o donde guardas el dinero.

Todos los días de Luna Llena vas a esparcir por cada rincón de tu casa un poco del contenido de la copa, y lo barres al día siguiente.

Mejores rituales para el Amor

Viernes 19 de enero 2024 *(Dia de Venus). Apropiado para hechizos o rituales relacionados con el amor, contratos, y asociaciones.*

Hechizo para Endulzar a la Persona Amada

Escribes el nombre completo de la persona que amas y el tuyo encima de este siete veces en un papel cartucho (Brown paper).

Este papel lo colocas dentro de una copa de cristal y le pones miel, canela, un cuarzo rosado y pedacitos de cascara de naranja.

Mientras realizas el ritual repite en tu mente: "Te endulzo y entre nosotros reina solo el amor verdadero". Mantenlo en un lugar oscuro.

Ritual para Atraer el Amor

Necesitas

- Aceite de rosas

- 1 cuarzo rosado

- 1 manzana

- 1 rosa roja en un búcaro chiquito

- 1 rosa blanca en un búcaro chiquito

- 1 cinta roja larga

- 1 vela roja

Para mayor efectividad este ritual debe ser realizado un viernes o domingo a la hora del planeta Venus o Júpiter.

Debes consagrar la vela antes de empezar el ritual con aceite de rosas. Enciendes la vela. Cortas la manzana en dos pedazos y colocas uno en el búcaro de la rosa roja y otro en el de la rosa blanca. Enlaza con la cinta roja los dos búcaros. Los dejas toda la noche junto a la vela hasta que esta se consuma. Mientras realizas esta operación repite en tu mente: *"Que la persona que está destinada a hacerme feliz aparezca en mi camino, la recibo y la acepto"*.

Cuando las rosas se sequen, junto con las mitades de las manzanas las entierras en tu patio o en una maceta con el cuarzo rosado.

Para Atraer un Amor Imposible

Necesitas:
- *1 rosa roja*
- *1 rosa blanca*
- *1 vela roja*
- *1 vela blanca*
- *3 velas amarillas*
- *Fuente de cristal*
- *Pentáculo # 4 de Venus*

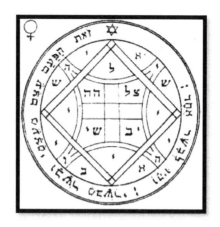

Pentáculo #4 de Venus.

Debes colocar las velas amarillas en forma de triángulo. Escribes por detrás del pentáculo de Venus tus deseos acerca del amor y el nombre de esa persona que quieres en tu vida, colocas la fuente encima del pentáculo en el medio. Enciendes la vela roja y la blanca y las pones en la fuente junto con las rosas. Repites esta frase: "Universo desvía hacia mi corazón la luz del amor de (nombre completo)".

Lo repites tres veces. Cuando se hayan apagado las velas llevas todo al patio y lo entierras.

Mejores rituales para la Salud

Martes 30 de enero 2024 (Dia de Marte). *Para protegerse, o recuperar la salud.*

Hechizo para proteger la Salud de nuestras Mascotas

Debes hervir agua mineral, tomillo, romero y menta. Cuando se enfríe colócalo en un envase atomizador delante de una vela verde y otra dorada.

Cuando las velas se consuman debes utilizar este atomizador sobre tu mascota durante nueve días. Principalmente sobre el pecho y el lomo.

Hechizo para mejorar Inmediatamente

Debes conseguir una vela blanca, una verde y otra amarilla.

Las consagrarás (de la base hacia la mecha) con esencia de pino y las colocarás encima de una mesa con un mantel azul clarito, en forma de triángulo.

En el centro, pondrás un pequeño recipiente de cristal con alcohol y una pequeña amatista.

En la base del recipiente un papel con el nombre de la persona enferma o foto con su nombre completo atrás y fecha de nacimiento.

Enciendes las tres velas y las dejas prendidas hasta que se consuman totalmente.

Mientras realizas este ritual visualiza a la persona completamente sana.

Hechizo para Adelgazar

Debes pincharte el dedo con un alfiler y en un papel blanco echar 3 gotas de tu sangre y una cucharada de azúcar, después cierras el papel envolviendo la sangre con el azúcar.

Colocas este papel en un envase de vidrio nuevo y sin dibujos, llenas el vaso hasta la mitad de tu orina, lo dejas toda la noche delante de una vela blanca y al otro día lo entierras.

Rituales para el Mes de Febrero

Febrero 2024

Domingo	Lunes	Martes	Miércoles	Jueves	Viernes	Sábado
				1	2	3
4	5	6	7	8	9 Luna Nueva	10
11	12	13	14	15	16	17
18	19	20	21	22	23 Luna Llena	24
25	26	27	28	29		

Febrero 9, 2024 Luna Nueva Acuario 20°40'

Febrero 23, 2024 Luna Llena Virgo 5°22'

Mejores rituales para el dinero

9 de febrero 2024 (Dia de Venus). En esta fase se trabaja para acrecentar cualquier cosa o atraerla. En este ciclo hacemos peticiones de que llegue el amor, aumente el dinero en nuestras cuentas o nuestro prestigio laboral.

Ritual para Aumentar la Clientela. Luna Gibosa Creciente

Necesitas:
- 5 hojas de ruda
- 5 hojas de verbena
- 5 hojas de romero
- 5 granos de sal gruesa de mar
- 5 granos de café
- 5 granos de trigo
- 1 piedra imán
- 1 bolsa blanca de tela
- Hilo rojo
- Tinta roja
- 1 tarjeta del negocio
- 1 maceta con una planta verde grande
- 4 cuarzos citrina

Coloca todos los materiales dentro de la bolsa blanca, a excepción del imán, la tarjeta y las citrinas. Seguidamente la coses con hilo rojo, después escribes en su exterior con tinta roja el nombre del negocio. Durante una semana completa deja la bolsa debajo del mostrador o en una gaveta de tu mesa de trabajo.

Pasado este tiempo la entierras en el fondo de la maceta junto a la piedra imán y la tarjeta del negocio. Para terminar encima de la tierra de la maceta coloca las cuatro citrinas en dirección de los cuatro puntos cardinales.

Hechizo para ser Próspero

Necesitas:

- 3 piritas o cuarzo citrinas

- 3 monedas doradas

- 1 vela dorada

- 1 bolsita roja

El primer día de la Luna Nueva colocas una mesa cerca de una ventana; sobre la mesa colocarás las monedas y los cuarzos en forma de triángulo. Enciendes la vela, colócala en el medio y mirando al cielo repites tres veces la siguiente oración:

"Luna que iluminas mi vida, utiliza el poder que tienes para atraerme el dinero y haz que estas monedas se multipliquen".

Cuando la vela se haya consumido metes las monedas y los cuarzos con la mano derecha en la bolsita roja, llévalas siempre contigo, será tu talismán para atraer el dinero, nadie debe tocarla.

Mejores rituales para el Amor
11, 22, 25 de febrero 2024. Para hechizos o rituales relacionados con el amor, contratos, y asociaciones.

Ritual para Consolidar el Amor

Este hechizo es más efectivo en la fase de Luna Llena.

Necesitas:
- *1 caja de madera*
- *Fotografías*
- *Miel*
- *Pétalos de rosas rojas*
- *1 cuarzo amatista*
- *Canela en rama*

Debes coger las fotografías, le escribes los nombres completos y las fechas de nacimiento, las colocas dentro de la cajita de forma que queden mirándose una a la otra.

Añades la miel, los pétalos de rosas, la amatista y la canela.

Colocas la cajita debajo de tu cama por trece días. Pasado este tiempo extrae la amatista de la cajita la lavas con agua de Luna.

La debes mantener contigo como amuleto para atraer ese amor que anhelas. El resto debes de llevarlo a un rio o un bosque.

Ritual para Rescatar un Amor en Decadencia

Necesitas:
- 2 velas rojas
- 1 trozo de papel amarillo
- 1 sobre rojo
- 1 lápiz rojo
- 1 foto de la persona amada y una foto tuya
- 1 recipiente de metal
- 1 cinta roja
- Aguja de coser nueva

Este ritual es más efectivo durante la fase de Luna Creciente y un viernes a la hora del planeta Venus o el Sol. Debes consagrar tus velas con aceite de rosas o canela.

Escribes en el papel amarillo con el lápiz rojo tu nombre y el de tu pareja. También escribes lo que deseas con palabras cortas pero precisas. Escribes los nombres en cada vela con la aguja de coser. Enciendes las velas y colocas el papel entre las fotos puestas cara a cara y las atas con la cinta. Quemas las fotos en la recipiente de metal con la vela que tiene tu nombre y repites en voz alta:

"Nuestro se fortalece por la fuerza del universo y de todas las energía que existen a través del tiempo".

Colocas las cenizas en el sobre y cuando las velas se consuman metes el sobre debajo de tu colchón en la parte de la cabecera.

Mejores rituales para la Salud

4,12,19 de febrero 2024. Períodos aconsejable para intervenciones quirúrgicas, dado que favorece la capacidad de sanación.

Ritual para la Salud

Debes hervir en una cazuela varios pétalos de rosas blancas, romero y ruda. Cuando se enfríe le agregas esencia de rosas y aceite de almendras. Enciendes cinco velas moradas en tu cuarto de baño, que previamente habrás consagrado con aceite de naranja *y eucalipto. En una vela debes escribir el nombre de la persona. Báñate con esta agua y mientras estés bañándote, tienes que visualizar que las enfermedades no se acercaran a ti ni, a tu familia.*

Ritual para la Salud en la Fase de Luna Creciente

En un papel de aluminio colocarás sal marina, 3 dientes de ajo, cuatro hojas de laurel, cinco hojas de ruda, una turmalina negra y un papel con el nombre de la persona. Lo doblas y lo amarras con una cinta moradas. Lleva este amuleto contigo en el bolsillo de la chaqueta o el bolso.

Rituales para el Mes de Marzo

Marzo 2024

Domingo	Lunes	Martes	Miércoles	Jueves	Viernes	Sábado
					1	2
3	4	5	6	7	8	9
10 Luna Nueva	11	12	13	14	15	16
17	18	19	20	21	22	23
24 Luna Llena	25	26	27	28	29	30
31						

Marzo 10, 2024 Luna Nueva Piscis 20°16'

Marzo 24, 2024 Luna Llena Libra 5°07' (Eclipse Penumbral de Luna 5°13')

Mejores rituales   para el dinero

8,10,22 de marzo 2024. Rituales relacionados con prosperidad y obtención de empleos.

Hechizo para tener Éxito en las Entrevistas de Trabajo.

Colocas en una bolsita verde tres hojas de salvia, albahaca, perejil y ruda. Agregas un cuarzo ojo de tigre y una malaquita.

Cierras la bolsita con una cinta dorada. Para activarla los pones en tu mano izquierda a la altura del corazón y luego unos centímetros arriba pones la mano derecha, cierras tus ojos y te imaginas una energía blanca salir de tu mano derecha hacia tu mano izquierda cubriendo la bolsita.

La mantienes en tu cartera o bolsillo.

Ritual para que el Dinero siempre esté Presente en tu Hogar.

Necesitas una botella de cristal blanco, frijoles negros, frijoles colorados, semillas de girasol, granos de maíz, granos de trigo y un sahumerio de mirra.

Introduces todo en la botella en ese mismo orden, la cierras con una tapa de corcho y le echas el humo del sahumerio. Después la colocas como decoración en tu cocina.

Hechizo Gitano para la Prosperidad

Consigue una maceta mediana de barro y las pintas de color verde. En el fondo pones un poco de mirra, una moneda y unas gotitas de aceite de oliva. Cúbrelo con una capa de tierra y colocas semillas de tu planta favorita. Añades canela y más tierra. Debes tenerla en el comedor de tu casa y regarla para que crezca.

Mejores rituales para el amor

1, 17, 24, 29 de marzo 2024

Ritual para Alejar Problemas en la Relación

Este ritual debes practicarlo durante el Eclipse de Luna o en la fase de Luna Llena.

Necesitas:
- 1 cinta blanca
- 1 tijeras nuevas
- 1 bolígrafo de tinta roja

Debes escribir en la cinta blanca con la tinta roja el problema que estás teniendo y el nombre de la persona. Después la picas en siete pedazos con las tijeras y mientras lo haces repites en alta voz:

""Este es mi problema. Quiero que se vayas y no vuelvas nunca más. Por favor, aléjalo de mí. Así es".

Colocas todo dentro de una bolsa negra y entiérralo.

Amarre de Amor

Necesitas:

- Hierba buena

- Albahaca

- Foto de la persona que amas que no tenga lentes y de cuerpo entero

- Foto tuya de cuerpo entero y sin lentes

- 1 pañuelo de seda amarillo

- 1 cajita de madera

Colocas dentro de la cajita las dos fotografías con el nombre escrito por atrás de cada uno. Le pones el pañuelo amarillo adentro y le esparces la albahaca y la hierba buena. Déjala expuesto a las energías de la Luna. Al día siguiente entiérralo en un lugar que nadie sepa, cuando estés abriendo el hoyo visualiza lo que deseas. Cuando llegue la Luna Llena desentierra la cajita y la botas en un rio o en el mar.

Mejores rituales para la Salud

Cualquier día, menos el sábado.

Hechizo contra la Depresión

Debes coger un higo con tu mano derecha y colocártelo en la parte izquierda de tu boca sin masticarlo o tragártelo. Después coges una uva con tu mano izquierda y lo colocas en la parte derecha de tu boca sin masticarla. Cuando ya tienes ambas frutas en la boca las muerdes a la misma vez y te los tragas, la fructuosa que emanan te dará energía y alegría.

Hechizo para Recuperación

Elementos Necesarios:

- *1 vela blanca o rosada*

- *Pétalos de la rosa*

- *Aceite de Eucalipto*

- *Aceite de limón*

- *Aceite de Naranja*

Debes escribir con una aguja de coser el nombre de la persona que necesita el hechizo. Consagra la vela con los aceites bajo la luna llena, mientras repites: "La tierra, el Aire, el Fuego, el Agua traen Paz, Salud, Alegría, y Amor a la vida de (dices el nombre de la persona)". Deja que la vela se consuma completamente. Los restos los puedes desechar en cualquier lugar.

Rituales para el Mes de Abril

Abril 2024

Domingo	Lunes	Martes	Miércoles	Jueves	Viernes	Sábado
	1	2	3	4	5	6
7	8 Luna Nueva	9	10	11	12	13
14	15	16	17	18	19	20
21	22 Luna Llena	23	24	25	26	27
28	29	30				

Abril 8, 2024 Luna Nueva y Eclipse Total de Sol en Aries 19°22'

Abril 22, 2024 Luna Llena Escorpion 23°:48'

Mejores rituales para el dinero

8, 7, 13, 22 de abril 2024

Hechizo Abre Caminos para la Abundancia.

Necesitas:
- *Laurel*
- *Romero*
- *3 monedas doradas*
- *1 vela dorada*
- *vela plateada*
- *1 vela blanca*

Realizar después de las 24 horas de la Luna Nueva.

Pones las velas en forma de pirámide, le colocas una moneda al lado a cada una y las hojas de laurel y romero en el medio de este triángulo. Enciende las velas en este orden: primero la plateada, blanca y dorada. Repite esta invocación: "Por el poder de la energía purificadora y de la energía infinita yo invoco la ayuda de todas las entidades que me protegen para sanar mi economía".

Dejas que las velas se consuman totalmente y guardas las monedas en tu cartera; estas tres monedas no las puedes gastar. Cuando el laurel y el romero se sequen las quemas y pasas el humo de este sahumerio por tu hogar o negocio.

Mejores rituales para el Amor
2, 13, 17 de abril 2024

Amarre Marroquí para el Amor

Necesitas:
- Saliva de la otra persona
- Sangre de la otra persona
- Tierra
- Agua de rosas
- 1 pañuelo rojo
- Hilo rojo

- 1 cuarzo rosado
- 1 turmalina negra

Debes colocar el pañuelo rojo sobre una mesa. Colocas la tierra encima del pañuelo y encima colocas la saliva, el cuarzo rosado, la turmalina negra y la sangre de la persona la cual quieres atraer. Rocías con agua de rosas todo y atas el pañuelo con el hilo rojo, cuidando que no se salgan los componentes. Debes enterrar este pañuelo.

Hechizo para Endulzar a la Persona Amada

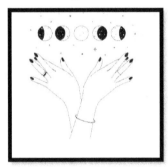

Escribes el nombre completo de la persona que amas y el tuyo encima de este siete veces en un papel cartucho (Brown paper). Este papel lo colocas dentro de una copa de cristal y le pones miel, canela, un cuarzo rosado y pedacitos de cascara de naranja. Mientras realizas el ritual repite en tu mente: "Te endulzo y entre nosotros reina solo el amor verdadero". Mantenlo en un lugar oscuro.

Mejores rituales para la Salud

13, 21, 27 de abril 2024.

Hechizo Romano para la Buena Salud

Debes juntar cinco hojas de romero, ruda y pétalos de rosas blancas y hervirlas. Colocas el preparado, cuando se enfríe, por tres horas encima del tercer pentáculo de Mercurio. Añádele esencia de sándalo, rosa y aceite de lavanda. Ofrézcale estos baños a los Ángeles de la Guarda del niño durante cinco días encendiendo una vela morada para transformar lo negativo en positivo que previamente debes consagrar con aceite de mandarina.

Tercer Pentáculo de Mercurio

Rituales para el Mes de Mayo

Mayo 2024

Domingo	Lunes	Martes	Miércoles	Jueves	Viernes	Sábado
			1	2	3	4
5	6	7	8 Luna Nueva	9	10	11
12	13	14	15	16	17	18
19	20	21	22 Luna Llena	23	24	25
26	27	28	29	30	31	

Mayo 8, 2024 Luna Nueva Tauro 18°01'

Mayo 22, 2024 Luna Llena Sagitario 2°54'

Mejores rituales para el dinero

6, 13, 21, 25 de mayo 2024

"Imán de Dinero" Luna Creciente

Necesitas:

- 1 copa de vino vacía

- 2 velas verdes

- 1 puñado de arroz blanco

- 12 monedas de curso legal

- 1 imán

- Arroz blanco

Enciendes las dos velas que deben estar situadas una a cada lado de la copa de vino. En el fondo de la copa pones el imán. Después coges un puñado de arroz blanco y lo depositas en la copa. Después colocas dentro de la copa las doce monedas. Cuando las velas se consuman hasta el final, colocas las monedas en la esquina de la prosperidad de tu casa o negocio.

Hechizo para Limpiar la Negatividad en tu Casa o Negocio.

Necesitas:
- *Cascarilla de un huevo*
- *1 ramo de flores blancas*
- *Agua sagrada o agua de Luna Llena*
- *Leche*
- *Canela en Polvo*
- *Cubo de limpiar nuevo*
- *Trapeador nuevo*

Empiezas barriendo tu casa o negocio de adentro hacia afuera de la calle repitiendo en tu mente que salga lo negativo y que entre lo positivo. Mezclas todos los ingredientes en el cubo y limpias el piso desde adentro hacia afuera de la puerta de la calle.

Dejas que el piso se seque y barres las flores hacia la puerta de la calle, las recoges y las botas en la basura junto con el cubo y el trapeador. No toques nada con tus manos. Debes hacerlo una vez a la semana, preferiblemente a la hora del planeta Júpiter.

Mejores rituales para el Amor
22 de mayo Luna Llena.

Lazo Irrompible de Amor

Necesitas:
- 1 cinta Verde
- 1 marcador rojo

Debes coger la cinta verde y escribir tu nombre completo y el de la persona que amas con tinta roja. Después escribes las palabras: amor, venus y pasión tres veces. Amarras la cinta a la cabecera de tu cama y cada noche haces un nudo por nueve noches consecutivas. Pasado este tiempo te amarras con tres nuditos la cinta en el brazo izquierdo. Cuando se rompa lo quemas y botas las cenizas en el mar o en un lugar donde corra el agua.

Ritual para que solo te Ame a Ti

Este ritual es más efectivo si lo realizas durante la fase de la Luna Gibosa Creciente y un viernes a la hora del planeta Venus.

Necesitas:
- 1 cucharada de miel
- 1 Pentáculo # 5 de Venus.
- 1 bolígrafo con tinta roja
- 1 vela blanca
- 1 aguja de coser nueva

Pentáculo #5 de Venus.

Debes escribir por detrás del pentáculo de Venus con la tinta roja el nombre completo de la persona que amas y como deseas que ella se comporte contigo, debes ser especifico. Después lo mojas con la miel y lo enrollas en la vela de forma que se quede pegado. Lo aseguras con la aguja de coser. Cuando la vela se consuma entierras los restos y repites en alta voz: "El amor de (nombre) me pertenece solo a mí".

Té para Olvidar un Amor

Necesitas:
- 5 hojas de menta
- 1 cucharada de miel de abejas
- 3 ramitas de canela

En una taza de agua debes hervir todos los ingredientes, lo dejas reposar. Tómatelo pensando en todos los daños que esta persona te hizo. Los hombres deben tomarlo un martes o miércoles por la noche antes de acostarse y las mujeres los lunes o viernes antes de ir a la cama.

Ritual con tus Uñas para el Amor

Debes cortarte las uñas de las manos y los pies y colocarlas en un recipiente de metal a fuego medio para que se tuesten todos los residuos de estas uñas. Lo sacas y los trituras hasta convertirlos en polvo. Este polvo se lo darás a tu pareja en la bebida o comida.

.

Mejores rituales   para la Salud

Cualquier día de mayo 2024. Excepto los sábados.

Fórmula Mágica para tener una Piel Brillante

Mezclas ocho cucharadas de miel, ocho cucharaditas de aceite de oliva, ocho cucharadas de azúcar morena, una cáscara de limón rallada y cuatro gotas de limón. Cuando quede como una masa suave vas a

ponértela en todo el cuerpo haciéndote un masaje por cinco minutos.

Después te bañas y alternas aguas calientes y luego con agua fría.

Hechizo para Curar el Dolor de Muelas

Debes hacer con sal marina una estrella de cinco puntas, grande porque tienes que pararte en el centro de esta.

En cada punta colocas una vela negra y el símbolo del tetragrámaton (puedes imprimir la imagen), hojas de romero, laurel, cáscaras de manzana y hojas de lavanda.

Cuando sean las 12:00am te paras en el centro, enciendes las velas y repites:

sanus ossa mea sunt: et labia circa dentes meos

Símbolo del Tetragrámaton

Rituales para el Mes de Junio

Junio 2024

Domingo	Lunes	Martes	Miércoles	Jueves	Viernes	Sábado
						1
2	3	4	5	6 Luna Nueva	7	8
9	10	11	12	13	14	15
16	17	18	19	20 Luna Llena	21	22
23	24	25	26	27	28	29
30						

Junio 6, 2024 Luna Nueva Géminis 16°17'

Junio 20, 2024 Luna Llena Capricornio 1°06'

Mejores rituales para el dinero
6,13,20, 27 son jueves, días de Júpiter.

Hechizo Gitano para la Prosperidad

Consigue una maceta mediana de barro y las pintas de color verde. En el fondo pones un poco de mirra, una moneda y unas gotitas de aceite de oliva. Cúbrelo con una capa de tierra y colocas semillas de tu planta favorita. Añades canela y más tierra. Debes tenerla en el comedor de tu casa y regarla para que crezca.

Fumigación Mágica para mejorar la Economía de tu Hogar.

Debes encender tres carbones en un recipiente de metal o barro y agregarle una cucharada de canela, romero y cáscaras de manzanas secas. Lo pasas por toda la casa caminando en el sentido de las agujas del reloj.

Después colocas en un cubo de agua pétalos de rosas blancas y lo dejas reposar por tres horas.

Con esta agua limpiarás tu hogar.

Esencia Milagrosa para Atraer Trabajo.

En una botella de cristal oscuro colocarás 32 gotas de alcohol, 20 gotas de agua de rosas, 10 gotas de agua de lavanda y unas hojas de jazmín.

Lo agitas varias veces pensando en lo que deseas atraer.

Lo pones en un difusor, puedes utilizarlo para tu casa, negocio o como perfume personal.

Hechizo para Lavarnos las Manos y Atraer Dinero.

Necesitas una recipiente de barro, miel y agua de Luna Llena.

Lávate las manos con este líquido, pero que el agua se quede dentro de la cazuela.

Después deja la ollita frente a un negocio próspero o casino de juegos de azar.

Mejores rituales para el Amor
Cualquier día de junio 2024. Excepto los sábados.

Ritual para Prevenir Separaciones

Necesitas:
- 1 maceta con flores rojas
- Miel
- Pentáculo # 1 de Venus
- 1 vela roja en forma de pirámide
- Fotografía de la persona amada
- 7 velas amarillas

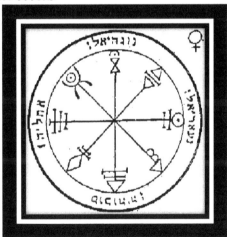

Pentáculo #1 de Venus.

Debes encender las siete velas amarillas en forma de círculo. Después escribes por detrás del pentáculo de Venus el siguiente conjuro:

""Te ruego que me ames toda esta vida, mi querido amor" y el nombre de la otra persona. Este pentáculo lo entierras en la maceta después de doblarlo en cinco partes juntamente con la foto. Enciendes la vela roja y derramas la miel sobre la tierra de la maceta.

Mientras realizas esta operación repites en alta voz el siguiente conjuro: "Gracias al poder del Amor, oramos, por eso (nombre de la persona), con un sentido de amor verdadero que es el mío, se preserva para que nadie ni ninguna fuerza pueda separarnos".

Cuando las velas se consuman botas los restos en la basura. La maceta la mantienes a tu alcance y la cuidas.

Hechizo Erótico

Debes conseguir una vela roja en forma de pene o vagina (dependiendo del sexo de quien practique el hechizo). Escribes el nombre de la otra persona en la misma.

Debes consagrarla con aceite de girasol y canela.

Debes encenderla una vez al día, dejándola que se queme solamente dos centímetros.

Cuando la vela se consuma totalmente colocas los restos dentro de una bolsita de tela roja junto con el pentáculo #4 de Marte.

Esta bolsita la debes mantener debajo de tu colchón por quince días.

Después de este tiempo la puedes botar en la basura.

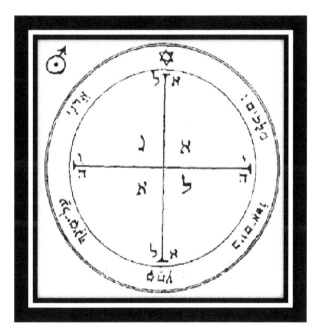

Pentáculo #4 Marte

Ritual con Huevos para Atraer

Necesitas:
- 4 huevos
- Pintura amarilla

Debes pintar los cuatro huevos de amarillo y escribir esta palabra "él viene a mí".

Coges dos huevos y los rompes en las esquinas delantera de la casa de la persona que quieres atraer.

Otro huevo lo rompes en el mismo frente de la casa de esta persona. Al tercer día botas el cuarto huevo en un rio.

Hechizo Africano para el Amor

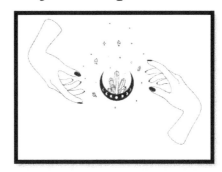

Necesitas:
- *1 huevo*
- *5 velas rojas*
- *1 pañuelo negro*
- *Calabaza*
- *Aceite de canela*
- *5 agujas de coser*
- *Miel de abejas*
- *Aceite de Oliva*
- *5 pedazos de masa de pan*
- *Pimienta de guinea*

Abres un orificio en la calabaza, después que hayas escrito el nombre completo de la persona que quieres atraer en un papel cartucho, lo introduces dentro de la misma.

Atraviesas la calabaza con las agujas repitiendo el nombre de esta persona. Echas los demás ingredientes dentro de la calabaza y la envuelves en el pañuelo negro. Dejas la calabaza así envuelta por cinco días enfrente de las velas rojas, una por día. Al sexto día entierras la calabaza en la orilla de un rio.

Mejores rituales para la Salud
Cualquier día de junio 2024

Hechizo para Adelgazar

Debes pincharte el dedo con un alfiler y en un papel blanco echar 3 gotas de tu sangre y una cucharada de azúcar, después cierras el papel envolviendo la sangre con el azúcar.

Colocas este papel en un envase de vidrio nuevo y sin dibujos, llenas el vaso hasta la mitad de tu orina, lo dejas toda la noche delante de una vela blanca y al otro día lo entierras.

Hechizo para Mantener la Buena Salud

Elementos necesarios.

- *1 vela blanca.*

- *1 estampita del Ángel de tu devoción.*

- *3 inciensos de sándalo.*

- *Carbones vegetales.*

- *Hierbas secas de eucalipto y albahaca.*

- *Un puñado de arroz, un puñado de trigo.*

- *1 plato blanco o una bandeja.*

- *8 Pétalos de rosas de color rosa.*

- *1 frasco de perfume, personal.*

- *1 cajita de madera.*

Debes limpiar el ambiente encendiendo los carbones vegetales en un recipiente de metal. Cuando los carbones estén bien encendidos, les colocarás poco a poco las hierbas secas y recorrerás la habitación con el recipiente, para que se eliminen las energías negativas.

Terminado el sahumerio debes abrir las ventanas para que se disipe el humo.

Prepara un altar encima de una mesa cubierta de un mantel blanco. Coloca encima de ella la estampita escogida y alrededor colocas los tres inciensos en forma de triángulo. Debes consagrar la vela blanca, después la enciendes y la pones frente al ángel juntamente con el perfume destapado.

Debes estar relajado, para eso debes concentrarte en tu respiración. Visualiza a tu ángel y agradécele por toda la buena salud que tienes y la que tendrás siempre, este agradecimiento tiene que salir de lo profundo de tu corazón.

Después de haber realizado el agradecimiento, le entregarás a manera de ofrenda el puñado de arroz y el puñado de trigo, que debes colocar dentro de la bandeja o plato blanco.

Dispersa sobre el altar todos los pétalos de rosas, dando nuevamente gracias por los favores recibidos. Terminado el agradecimiento dejarás la vela encendida hasta que se consuma totalmente. Lo último que debes hacer es juntar todos los restos de vela, de los sahumerios, el arroz y el trigo, y colocarlos en una bolsa de plástico y la botarás en un lugar donde haya árboles sin la bolsa.

La estampita del ángel junto con los pétalos de rosa colócalas dentro de la caja y ubícala en un lugar seguro de tu casa. El perfume energizado, lo utilizas usará cuando sientas que las energías están bajando, a la vez que visualizas a tu ángel y le pides su protección.

Baño de Protección antes de una Operación Quirúrgica

Elementos necesarios:

- Campana Morada

- Agua de Coco

- Cascarilla

- Colonia 1800

- Siempre Viva

- Hojas de Menta

- Hojas de Ruda

- Hojas de Romero

- Vela Blanca

- Aceite de Lavanda

Hierves todas las plantas en el agua de coco, cuando se enfríe lo cuelas y le agregas la cascarilla, colonia, el aceite de lavanda y enciendes la vela en la parte oeste de tu cuarto de baño. Viertes la mezcla en el agua del baño. Sino tienes bañera te lo echas encima y no te secas.

Rituales para el Mes de Julio

Julio 2024

Domingo	Lunes	Martes	Miércoles	Jueves	Viernes	Sábado
	1	2	3	4	5	6 Luna Nueva
7	8	9	10	11	12	13
14	15	16	17	18	19	20 Luna Llena
21	22	23	24	25	26	27
28	29	30	31			

Julio 6, 2024 Luna Nueva Cáncer 14°23'

Julio 20, 2024 Luna Llena Capricornio 29°08'

Mejores rituales para el dinero

6,20 y 22 de Julio, el Sol entra en Leo.

Limpieza para Conseguir Clientes.

Machacas en un mortero diez avellanas sin cáscara y un ramito de perejil.

Hierves dos litros de agua de Luna Llena y agrégale los ingredientes que machacaste. Déjalos hervir por 10 minutos y luego cuélalo.

Con esta infusión limpiarás el piso de tu negocio, desde la puerta de entrada hasta el fondo de este.

Debes repetir esta limpieza todos los lunes y jueves por espacio de un mes, de ser posible a la hora del planeta Mercurio.

Atrae a la Abundancia Material. Luna en Cuarto Creciente

Necesitas:

- 1 moneda de oro o un objeto de oro, sin piedras.

- 1 moneda de cobre

- 1 moneda de plata

Durante una noche de Luna Cuarto Creciente con las monedas en tus manos, dirígete a un lugar donde los rayos de la Luna las iluminen.

Con las manos en alto vas a repetir: "Luna ayúdame a que mi fortuna siempre crezca y la prosperidad siempre me acompañe".

Haz que las monedas suenen dentro de tus manos.

Después las guardarás en tu cartera. Puedes repetir este ritual todos los meses.

Hechizo para Crear un Escudo Económico para tu Negocio o trabajo.

Necesitas:
- 5 pétalos de flores amarillas
- Semillas de girasol
- Cáscara de un limón secada al sol
- Harina de trigo
- 3 monedas de uso corriente

Trituras en un mortero las flores amarillas y las semillas de girasol, después le agregas la cáscara de limón y la harina de trigo.

Mezclas bien los ingredientes y los guardas junto con las tres monedas en un frasco herméticamente cerrado.

Este preparado lo debes usar todas las mañanas antes de salir de tu casa.

Debes introducir en el frasco las yemas de los cinco dedos de la mano izquierda primero y de la derecha después, luego te lo frotas en las palmas de las manos.

Mejores rituales para el Amor

Cualquier día de Julio.

Hechizo para Obtener Dinero Express.

Este hechizo es más efectivo si lo realizas un jueves.

Vas a llenar una fuente de cristal con arroz.

Después enciendes una vela verde (la cual previamente debes haber consagrado) y la colocas en el centro de la fuente.

Enciendes el incienso de canela y rodeas la fuente con su humo a favor de las manecillas del reloj seis veces.

Mientras realizas este procedimiento repites mentalmente: "Abro mi mente y mi corazón a la riqueza.

La abundancia llega a mí, ahora y todo está bien.

El universo está irradiando riqueza a mi vida, ahora". Los restos los puedes desechar en la basura.

Baño para Atraer Ganancias Económicas

Necesitas:

- 1 planta de ruda

- Agua florida

- 5 flores amarillas

- 5 cucharadas de miel de abeja

- 5 palitos de canela

- 5 gotas de esencia de sándalo

- 1 varita de incienso de sándalo

El primer día de Luna Creciente durante una hora favorable para la prosperidad, hierve todos los ingredientes por cinco minutos, con excepción del Aguaflorida y el incienso. Divide este baño porque lo debes hacer por cinco días. El que no utilices lo debes conservar en frio. Añade un poco de Aguaflorida a la preparación y enciende el incienso. Báñate y enjuágate como de rutina. Lentamente dejas caer el preparado desde tu cuello hasta los pies. Realiza lo anterior durante cinco días consecutivos.

Mejores rituales para la Salud

Cualquier día de Julio.

Hechizo para un Dolor Crónico.

Elementos Necesarios:

-       *1 vela dorada*

-       *1 vela blanca*

-       *1 vela verde*

-       *1 Turmalina negra*

-       *1 foto suya u objeto personal*

-       *1 vaso con agua de Luna*

-       *Fotografía de la persona u objeto personal*

Coloca las 3 velas en forma de triángulo y en el centro ubicas la foto o el objeto personal. Pones el vaso con agua de Luna encima de la foto y le echas la turmalina adentro. Luego enciendes las velas y repites el siguiente conjuro: "enciendo esta vela para lograr mi restablecimiento, invocando mis fuegos internos y a las salamandras y ondinas protectoras, para trasmutar este dolor y malestar en energía sanadora de salud y bienestar. Repite esto oración 3 veces. Cuando termines la oración coges el vaso, sacas la turmalina y botas el agua a un desagüe de la casa, apaga las velas con tus dedos y guárdelas para repetir este hechizo hasta que te recuperes totalmente. La turmalina la puedes utilizar de amuleto para la salud.

Hechizo para mejorar Inmediatamente

Debes conseguir una vela blanca, una verde y otra amarilla. Las consagrarás (de la base hacia la mecha) con esencia de pino y las colocarás encima de una mesa con un mantel azul clarito, en forma de triángulo. En el centro, pondrás un pequeño recipiente de cristal con alcohol y una pequeña amatista. En la base del recipiente un papel con el

nombre de la persona enferma o foto con su nombre completo atrás y fecha de nacimiento. Enciendes las tres velas y las dejas prendidas hasta que se consuman totalmente. Mientras realizas este ritual visualiza a la persona completamente sana.

Rituales para el Mes de Agosto

Agosto 2024

Domingo	Lunes	Martes	Miércoles	Jueves	Viernes	Sábado
				1	2	3
4 Luna Nueva	5	6	7	8	9	10
11	12	13	14	15	16	17
18 Luna Llena	19	20	21	22	23	24
25	26	27	28	29	30	31

Agosto 4, 2024 Luna Nueva Leo 12°33'

Agosto 18, 2024 Luna Llena Acuario 27°14'

Mejores rituales para el dinero

4,5 de agosto 2024

Espejo mágico para el Dinero. Luna Llena

Consigue un espejo de 40 a 50 cm de diámetro y píntale el marco de negro. Lavas el espejo con agua sagrada y cúbrelo con un paño negro.

En la primera noche de Luna Llena exponlo a los rayos de la Luna de forma que puedas ver el disco lunar completo en el espejo. Pídele a la luna que consagre este espejo para que ilumine tus deseos.

La próxima noche de Luna Llena dibuja con un creyón de labios el símbolo del dinero 7 veces ($$$$$$$).

Cierras los ojos y visualízate con toda la abundancia material que deseas. Deja los símbolos dibujados hasta la mañana siguiente.

Después limpias el espejo hasta que no existan rastros de la pintura que hayas empleado, utilizando agua sagrada. Guarda de nuevo tu espejo en un lugar que nadie lo toque.

Deberás recargar la energía del espejo tres veces al año con Lunas Llenas para poder repetir el hechizo.

Si haces esto en una hora planetaria que tenga que ver con la prosperidad le estarás agregando una super energía a tu intención.

Ritual para Acelerar las Ventas. Luna Nueva

Esta es una receta eficaz para la protección del dinero, la multiplicación de las ventas en tu negocio y la sanación energética del lugar.

Necesitas:

-1 vela verde
-1 moneda
- sal marina
-1 pizca de pimienta picante

Debes realizar este ritual un jueves o Domingo a la hora del planeta Júpiter o del Sol.

No debe haber más personas en el local del negocio.

Enciende la vela y a su alrededor, en forma de triángulo, coloca la moneda, un puñado de sal y la pizca de pimienta picante.

Es primordial que ubiques a la derecha la pimienta y a la izquierda el puñado de sal. La moneda debe estar en la punta superior de la pirámide.

Quédate durante unos minutos delante de la vela y visualiza todo lo que estas deseando referente a prosperidad.

Los restos puedes botarlos, la moneda la conservas en tu lugar de negocio como protección.

Mejores rituales para el Amor
Cualquier viernes, día de Venus.

Mejores rituales para el Amor

7,14, 21,28, 31 de Julio.

Hechizo para Hacer que Alguien Piense en Ti

Consigue un espejito del que utilizamos las mujeres para maquillarnos y colocas una fotografía tuya detrás del espejo.

Después coges una fotografía de la persona que quieres que pienses en ti y la colocas boca abajo frente al espejo (de forma que las dos fotos queden mirándose con el espejo entre ellas).

Envuelves el espejo con un pedazo de tela roja y lo atas con un hilo rojo de forma que queden seguros y que las fotografías no puedan moverse.

Esto debes colocarlo debajo de tu cama bien escondido.

Hechizo para Transformarte en Imán

Para tener un aura magnética y atraer las mujeres o los hombres debes confeccionar una bolsita amarilla que contenga el corazón de una paloma blanca y los ojos de una jicotea en polvo.

Esta bolsita debes portarla en tu bolsillo derecho si eres hombre.

Las mujeres usaran esta misma bolsita, pero dentro del sostenedor (brasier) en la parte izquierda.

Mejores rituales para la Salud

23 de agosto, el Sol entra en Virgo.

Baño Ritual con Hierbas Amargas

Este ritual se utiliza cuando la persona ha sido hechizada tan poderosamente que su vida está en peligro.

Elementos Necesarios:
- 7 Hojas de Mirto
- Jugo de granada
- Leche de cabra
- Sal de mar
- Agua sagrada
- Cascarilla
- 8 Hojas de la planta rompe muralla

Debes echar la leche de cabra en un envase grande, le agregas el jugo de granada, agua sagrada, las plantas, la sal de mar y la cascarilla.

Dejas por tres horas este preparado delante de una vela blanca y después te lo echas sobre la cabeza. Debes dormir así y al otro día enjuagarte.

Rituales para el Mes de Septiembre

Septiembre 2024

Domingo	Lunes	Martes	Miércoles	Jueves	Viernes	Sábado
1	2	3 Luna Nueva	4	5	6	7
8	9	10	11	12	13	14
15	16	17 Luna Llena	18	19	20	21
22	23	24	25	26	27	28
29	30					

Septiembre 3, 2024 Luna Nueva Virgo 11°03'

Septiembre 17, 2024 Luna Llena y Eclipse Parcial Piscis 25°40'

Mejores rituales para el dinero

3,13,20 de septiembre 2024

Ritual para Obtener Dinero en Tres Días.

Consigue cinco ramas de canela, una cáscara seca de naranja, un litro de agua de Luna Llena y una vela plateada. Hierve la canela y la cascara de naranja en el agua de Luna. Cuando se enfríe colócala en un pomo atomizador. Enciende la vela en la parte norte de la sala de tu casa y rocía todas las habitaciones con el líquido. Mientras lo haces repites en tu mente: "Guías Espirituales protejan mi hogar y permitan que yo reciba el dinero que necesito inmediatamente".

Cuando termines, dejas encendida la vela.

Dinero con un Elefante Blanco

Compra un elefante blanco con la trompa hacia arriba.

Colócalo dirigido al interior de tu casa o negocio, nunca de frente a las puertas.

El primer día de cada mes, coloca un billete del valor más bajo en la trompa del elefante, doblado en dos a lo largo y repite: "Que esto se duplique por 100"; después lo vuelves a doblar a lo ancho y repite: "Que esto se me multiplique por mil".

Despliega el billete y déjalo en la trompa del elefante hasta el siguiente mes.

Repite el ritual, cambiando de billete.

Ritual para Ganar la Lotería.

Necesitas:
- 2 velas verdes
- 12 monedas. (representan los doce meses del año)
- 1 mandarina
- Canela en rama
- Pétalos de 2 rosas rojas
-1 frasco de cristal de boca ancha y con tapa
-1 billete de lotería viejo
- Agua de Luna Llena

En el frasco colocarás la mandarina, a su alrededor el billete de lotería, las monedas, los pétalos y la canela, lo cubres con el agua de Luna y lo tapas. Sobre la tapa del frasco colocas la vela y la enciendes. Al día siguiente reemplazarás la vela por una nueva y al tercer día destaparás el recipiente, botas todo excepto las monedas, que te servirán de amuleto. Guarda una en tu cartera y las otras once las dejas en tu casa. Al finalizar el año debes gastar las monedas.

Mejores rituales   para el Amor
Cualquier viernes de septiembre 2024

Ritual para Eliminar las Discusiones

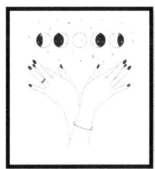

Debes escribir en un papel los nombres completos tuyo y de tu pareja. Lo colocas debajo de una pirámide de cuarzo rosado y repites en tu mente: "Yo (tu nombre) estoy en paz y armonía con mi pareja (nombre de tu pareja), el amor nos envuelve ahora y siempre".

Esta pirámide con los nombres la debes mantener en la zona del amor en tu hogar. La esquina del fondo a la derecha desde la puerta de entrada es la zona de las parejas, del amor, matrimonio o relaciones.

Ritual para ser Correspondido en el Amor

Por un periodo de cinco días y a la misma hora debes de hacer una pirámide en el suelo con pétalos de rosas rojas. En una vela verde escribes el nombre de la persona que quieres que te corresponda en el amor, la enciendes y la colocas en el centro de la pirámide, encima del pentáculo #3 de Venus.

Te sientas enfrente de esta pirámide y repites mentalmente: "Invoco todas las fuerzas elementales del universo para que (nombre de la persona) corresponda a mi amor". Pasado este tiempo puedes botar los restos de las velas en la basura y el pentáculo debes quemarlo.

Pentáculo # 3 Venus.

Mejores rituales para la Salud

Cualquier día de septiembre. Preferiblemente lunes y viernes.

Baño Curativo

Elementos necesarios:

- Berenjena
- Salvia
- Ruda
- Aguardiente
- Cascarilla
- Agua Florida
- Agua de Lluvia
- Vela Verde *(si es en forma piramidal más efectiva)*

Este baño es más efectivo si lo realizas un domingo a la hora del Sol o Júpiter. Cortas la berenjena en pedazos chiquitos y la colocas en una cazuela grande.

Después hierves la salvia y la ruda en el agua de lluvia. Cuelas el líquido sobre los pedazos de berenjena, añades el Aguaflorida, el aguardiente, la cascarilla y enciendes la vela. Viertes la mezcla dentro del agua para tu baño. Si no tienes bañera te lo echas arriba y te secas con el aire, es decir no utilizas la toalla.

Baño de Protección antes de una Operación Quirúrgica

Elementos necesarios:

- Campana Morada
- Agua de Coco
- Cascarilla
- Colonia 1800
- Siempre Viva
- Hojas de Menta
- Hojas de Ruda
- Hojas de Romero

- Vela Blanca
- Aceite de Lavanda

Este baño es más efectivo si lo realizas un jueves a la hora de la Luna o Marte.

Hierves todas las plantas en el agua de coco, cuando se enfríe lo cuelas y le agregas la cascarilla, colonia, el aceite de lavanda y enciendes la vela en la parte oeste de tu cuarto de baño.

Viertes la mezcla en el agua del baño. Sino tienes bañera te lo echas encima y no te secas.

Rituales para el Mes de Octubre

Octubre 2024

Domingo	Lunes	Martes	Miércoles	Jueves	Viernes	Sábado
		1	2 Luna Nueva	3	4	5
6	7	8	9	10	11	12
13	14	15	16 Luna Llena	17	18	19
20	21	22	23	24	25	26
27	28	29	30	31		

Octubre 2, 2024 Eclipse Anular de Sol en Libra y Luna Nueva 10°02'

Octubre 16, 2024 Luna Llena Aries 24°34'

Mejores rituales para el dinero
2, 17,31 de octubre 2024.

Hechizo con Azúcar y Agua de Mar para Prosperidad.

Necesitas:
- *Agua de Mar*
- *3 cucharadas de azúcar*
- *1 Copa azul de cristal*

Llena la copa con agua de mar y el azúcar, déjala a la intemperie la primera noche de Luna Llena y la retiras del sereno a las 6:00 am.

Después abres las puertas de tu casa y comienzas a regar el agua azucarada desde la entrada hacia el fondo, utiliza una botella atomizador, mientras lo haces debes repetir en tu mente: "Atraigo a mi vida toda la prosperidad y la riqueza que el universo sabe que merezco, gracias, gracias, gracias".

La Canela

Se utiliza para purificar el cuerpo. En ciertas culturas se cree que su poder consiste en ayudar a la inmortalidad. Desde el punto de vista mágico, la canela está vinculada al poder de la Luna por su tendencia femenina.

Ritual para Atraer Dinero Instantáneamente.

Necesitas:
- 5 ramas de canela
- 1 cáscara seca de naranja
- 1 litro de agua sagrada
- 1 vela verde

Coloca la canela, la cáscara de naranja y el litro de agua a hervir, después deja la mezcla reposar hasta que se enfríe. Vierte el líquido en un rociador (aerosol).

Enciende la vela en la parte norte de la sala de tu casa y rocía todas las habitaciones mientras repites: "Ángel de la Abundancia invoco tu presencia en esta casa para que no falte nada y siempre tengamos más de lo que necesitamos".

Cuando termines da las gracias tres veces y deja encendida la vela.

Puedes realizarlo un domingo o jueves a las horas del planeta Venus o Júpiter.

Mejores rituales para el Amor
Cualquier día de octubre 2024.

Hechizo Para Olvidar un Antiguo Amor

Necesitas:
- 3 velas amarillas en forma de pirámide
- Sal marina
- Vinagre blanco
- Aceite de oliva
- Papel amarillo

- 1 bolsita negra

Este ritual es más efectivo si lo realizas en la fase de la Luna Menguante.

Escribirás en el centro del papel el nombre de la persona que deseas se aleje de tu vida con el aceite de oliva.

Después colocas encima del mismo las velas en forma de pirámide.

Mientras realizas esta operación repite en tu mente: "Mi ángel de la guarda cuida mi vida, ese es mi deseo y se hará realidad".

Cuando las velas se consuman envolverás todos los restos en el mismo papel y lo rociarás con el vinagre.

Después lo colocas en la bolsita negra y lo botas en un lugar alejado de tu casa, preferiblemente que haya árboles.

Hechizo para Atraer tu Alma Gemela

Necesitas:
- Hojas de romero
- Hojas de perejil
- Hojas de albahaca
- Recipiente de metal
- 1 vela roja en forma de corazón
- Aceite esencial de canela
- 1 corazón dibujado en un papel rojo
- Alcohol
- Aceite de lavanda

Debes consagrar primero la vela con el aceite de canela, después la enciendes y la colocas al lado de la recipiente de metal. Mezclas en la recipiente todas las plantas. Escribes en el corazón de papel todas las características de la persona que deseas en tu vida, escribes los detalles. Échale cinco gotas del aceite de lavanda al papel y colócalo dentro de la recipiente. Rocíalo con el alcohol y préndele fuego. Todos los restos debes de esparcirlos a la orilla del mar, mientras lo haces concéntrate y pides que esa persona llegue a tu vida.

Ritual para atraer el Amor

Necesitas
- Aceite de rosas
- 1 cuarzo rosado
- 1 manzana
- 1 rosa roja en un búcaro chiquito
- 1 rosa blanca en un búcaro chiquito
- 1 cinta roja larga
- 1 vela roja

Para mayor efectividad este ritual debe ser realizado un viernes o domingo a la hora del planeta Venus o Júpiter.

Debes consagrar la vela antes de empezar el ritual con aceite de rosas. Enciendes la vela. Cortas la manzana en dos pedazos y colocas uno en el búcaro de la rosa roja y otro en el de la rosa blanca. Enlaza con la cinta roja los dos búcaros. Los dejas toda la noche junto a la vela hasta que esta se consuma. Mientras realizas esta operación repite en tu mente: *"Que la persona que está destinada a hacerme feliz aparezca en mi camino, la recibo y la acepto".* Cuando las rosas se sequen, junto con las mitades de las manzanas las entierras en tu patio o en una maceta con el cuarzo rosado.

Mejores rituales para el Salud
Todos los domingos de octubre 2024

Ritual para Aumentar la Vitalidad

Sumergir en un cubo de agua una pirámide de aluminio durante 24 horas. Al día siguiente después de tu baño regular, enjuágate con esta agua. Este ritual lo puedes realizar una vez por semana.

Rituales para el Mes de Noviembre

Noviembre 2024

Domingo	Lunes	Martes	Miércoles	Jueves	Viernes	Sábado
					1 Luna Nueva	2
3	4	5	6	7	8	9
10	11	12	13	14	15 Luna Llena	16
17	18	19	20	21	22	23
24	25	26	27	28	29	30 Luna Nueva

Noviembre 1, 2024 Luna Nueva Escorpión 9°34'

Noviembre 15, 2024 Luna Llena Tauro 24°00'

Noviembre 30, 2024 Luna Nueva Sagitario 9°32'

Mejores rituales para el dinero

1,15,30 de noviembre 2024

Confecciona tu Piedra para Ganar Dinero

Necesitas:

- Tierra

- Agua Sagrada

- 7 monedas de cualquier denominación

- 7 piedras piritas

- 1 vela verde

- 1 cucharadita de canela

- 1 cucharadita de sal de mar

- 1 cucharadita de azúcar morena

- 1 cucharadita de arroz

Debes realizar este ritual bajo la luz de la Luna llena, es decir al aire libre.

Dentro de un recipiente echas el agua con la tierra de forma que se convierta en una masa espesa. Agrégale a la mezcla las cucharaditas de sal, azúcar, arroz y canela, y colocas en diferentes lugares, en medio de la masa, las 7 monedas y las 7 piritas. Mezcla de forma uniforme esta mezcla, allánala con una cuchara. Deja el recipiente bajo la luz de la Luna Llena toda la noche, y parte del siguiente día al Sol para que se seque. Una vez seca, llévala adentro de tu casa y colócale encima la vela verde encendida. No limpies esta piedra de los restos de cera. Ubícala en tu cocina, lo más cercana a una ventana.

Mejores rituales   para el Amor
Todos los viernes y Lunes de Noviembre.

Espejo Mágico del Amor

Consigue un espejo de 40 a 50 cm de diámetro y píntale el marco de negro. Lavas el espejo con agua sagrada y cúbrelo con un paño negro. En la primera noche de Luna Llena lo dejas expuesto a sus rayos de forma que puedas ver el disco lunar completo en el espejo.

Pídele a la Luna que consagre este espejo para que ilumine tus deseos.

La próxima noche de Luna Llena escribes con un creyón de labios todo lo que deseas referente al amor. Especifica como quieres que sea tu pareja en todos los sentidos. *Cierras los ojos y visualízate feliz y con ella. Dejas las palabras escritas hasta la mañana siguiente.*

Después limpias el espejo hasta que no existan rastros de la pintura que hayas empleado, utilizando agua sagrada. Guardas de nuevo tu espejo en un lugar que nadie lo toque.

Deberás recargar el espejo tres veces al año con la energía de las Lunas Llenas para poder repetir este hechizo. Si haces esto en una hora planetaria que tenga que ver con el amor le estarás agregando un super poder a tu intención.

Hechizo para Aumentar la Pasión

Necesitas:
- 1 hoja de papel verde
- 1 manzana verde
- Hilo rojo
- 1 cuchillo

Este ritual tiene que ser realizado un viernes a la hora del planeta Venus.

Escribes en la hoja de papel verde el nombre de tu pareja y el tuyo, y dibujas un corazón a su alrededor.

Cortas la manzana a la mitad con el cuchillo y colocas el papel entre ambas mitades.

Después amarras las mitades con el hilo rojo y haces 5 nudos.

Le vas a dar un mordisco a la manzana y tragar ese pedazo.

A medianoche vas a enterrar los restos de la manzana lo más cerca posible de la casa de tu pareja, si viven juntos la entierras en tu jardín.

Mejores rituales para la Salud
Todos los jueves de noviembre 2024

Ritual para Eliminar un dolor

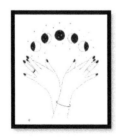

Debes acostarte boca arriba con la cabeza hacia el Norte y colocar una pirámide de color amarillo en el bajo vientre por 10 minutos, así las dolencias desaparecerán.

Ritual para Relajarse

Debes coger una pirámide de color violeta en las manos y luego acostarte boca arriba con los ojos cerrados, mantén tu mente en blanco y respira suavemente. En ese momento sentirás que tus brazos, piernas y tórax se adormecen.

Después los sentirás más pesados, esto significa que estás totalmente relajado, este ritual genera paz y armonía.

Ritual para Tener una Vejez Saludable

Debes coger un huevo grande y pintarlo de dorado.

Cuando se seque la pintura lo colocas dentro de un círculo que harás con 7 velas (1 de color rojo, 1 de color amarillo, 1 de color verde, 1 de color rosa, 1 de color azul, 1 de color de morado, 1 de color blanco). Te sientas enfrente del círculo con la cabeza cubierta por un pañuelo blanco y enciendes las velas en sentido de las manecillas del reloj. Repites las siguientes afirmaciones mientras las enciendes:

Me estoy convirtiendo en la mejor versión de mí mismo.
Mis posibilidades son infinitas.
Tengo la libertad y el poder de crear la vida que deseo.
Elijo ser amable conmigo mismo y amarme incondicionalmente.
Hago lo que puedo, y eso es suficiente.
Cada día es una oportunidad para empezar de nuevo.

Dondequiera que esté en mi viaje es donde debo estar.

Deja que las velas se consuman.

Después enterrarás el huevo adentro de una maceta de barro y lo rellenarás con arena de playa, lo dejarás expuesto a la luz del Sol y la Luna por tres días y tres noches consecutivas.

Esta maceta la tendrás por tres años dentro de tu casa, al cabo de ese tiempo desentierras el huevo, rompes la cáscara y lo que te encuentres adentro lo dejarás en tu casa como amuleto protector.

Hechizo para Curar Enfermos de Gravedad

Debes colocar en un recipiente de metal el diagnóstico del doctor y una foto actual de la persona. A los lados de este colocas dos velas verdes y las enciendes.

Quema el contenido del recipiente y mientras se quema añade los cabellos de la persona.

Cuando solo haya cenizas colócalas en un sobre verde, el enfermo debe dormir con este sobre debajo de su almohada por 17 días.

Rituales para el Mes de Diciembre

Diciembre 2024

Domingo	Lunes	Martes	Miércoles	Jueves	Viernes	Sábado
1	2	3	4	5	6	7
8	9	10	11	12	13	14 Luna Llena
15	16	17	18	19	20	21
22	23	24	25	26	27	28
29	30 Luna Nueva	31				

Diciembre 15, 2024 Luna Llena Géminis 23°52'

Diciembre 30, 2024 Luna Nueva Capricornio 9°43'

Mejores rituales para el dinero

14,20,30, de diciembre 2024

Ritual Hindú para Atraer Dinero.

Los días perfectos para este ritual son el jueves o domingo, a la hora del planeta Venus, Júpiter o el Sol.
Necesitas:
- Aceite esencial de ruda o albahaca
- 1 moneda dorada
- 1 monedero o carterita nueva
- 1 espiga de trigo
- 5 piritas

Debes consagrar la moneda dorada untándole el aceite de albahaca o ruda y dedicándosela a Júpiter. Mientras la estás ungiendo repite mentalmente:

"Quiero que satures con tu energía esta moneda para que llegue la abundancia económica a mi vida".

Después le pones aceite a la espiga de trigo y se la ofreces a Júpiter pidiéndole que no falte la comida en tu hogar. Coges la moneda junto con las cinco piritas y la colocas en la carterita nueva, la misma debes enterrarla en la parte izquierda delantera de tu casa. La espiga la mantendrás en la cocina de tu casa.

Dinero y Abundancia para todos los Miembros de la Familia.

Necesitas:
- 4 recipientes de barro
- 4 pentáculos #7 de Júpiter (puedes imprimirlos)

Pentáculo #7 de Júpiter.

- Miel

- 4 citrinas

Un viernes a la hora del planeta Júpiter escribes los nombres de todas las personas que viven en tu hogar en la parte de atrás del séptimo pentáculo de Júpiter.

Después colocas cada papelito en las recipientes de barro junto con las citrinas y le echas miel. Colocas las vasijas en los cuatro puntos cardinales de tu hogar. Déjalas ahí por un mes. Al cabo de este tiempo botas la miel y los pentáculos, pero conservas las citrinas en la sala de tu casa.

Mejores rituales por días para el Amor
Viernes y domingo diciembre 2024

Ritual para Convertir una Amistad en Amor

Este ritual es más poderoso si lo realizas un martes a la hora de Venus.

Necesitas:

- 1 Foto de la persona que amas de cuerpo entero

- 1 espejo chiquito

- 7 cabellos tuyos

- 7 gotas de tu sangre

- 1 vela roja en forma de pirámide

- 1 bolsita dorada

Derramas sobre el espejo las gotas de tu sangre, colocas los cabellos arriba y esperas a que se seque. Pones la fotografía arriba del espejo (cuando la sangre esté seca).

Enciendes la vela y la sitúas a la derecha del espejo, te concentras y repites:

"Estamos unidos para siempre por el poder de mi sangre y el poder de (nombre de la persona que amas) el amor que siento por ti. La amistad termina, pero comienza el amor eterno".

Cuando la vela se consuma debes colocarlo todo dentro de la bolsa dorada y botarlo en el mar.

Hechizo Germánico de Amor

Este hechizo es más efectivo si lo realizas en la fase de Luna Llena a las 11:59 pm de la noche.

Necesitas:
- 1 fotografía de la persona que amas
- 1 fotografía tuya
- 1 Corazón de paloma blanca
- 13 pétalos de girasol
- 3 alfileres
- 1 vela rosada
- 1 vela azul
- 1 aguja de coser nueva
- Azúcar morena
- Canela en polvo
- 1 tabla

Colocas las fotografías encima de la tabla, arriba le pones el corazón y le clavas los tres alfileres. Las rodeas con los pétalos de girasol y colocas la vela rosada a la izquierda y la vela azul a la derecha y las enciendes en ese mismo orden.

Te pinchas tu dedo índice de la mano izquierda y dejas caer tres gotas de sangre encima del corazón. Mientras está cayendo la sangre repites tres veces: "Por el poder de la sangre tú (nombre de la persona) me perteneces".

Cuando las velas se consuman entierras todo y antes de cerrar el hoyo le pones canela en polvo y azúcar morena.

Hechizo de la Venganza

Necesitas:
- *1 piedra de rio*
- *Pimienta roja*
- *Fotografía de la persona que te robó tu amor*
- *1 maceta*
- *Tierra de cementerio*
- *1 vela negra*

Debes escribir por detrás de la foto el siguiente conjuro: "Por el poder de la venganza te prometo que me pagarás y no volverás a hacer daño a nadie, quedas cancelado

(nombre de la persona)".

Después colocas la foto de la persona en el fondo de la maceta y le pones la piedra encima, le echas la tierra de cementerio y la pimienta roja, en este orden.

Enciendes la vela negra y repites el mismo conjuro que escribiste detrás de la foto. Cuando la vela se consuma bótala en la basura y la maceta la dejas en un lugar que sea un monte.

Mejores rituales para la Salud

Cualquier jueves de diciembre 2024

Parrilla Cristalina para la Salud

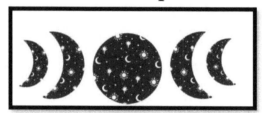

El primer paso es decidir qué objetivo buscas que se manifieste. Escribirás en un pedazo de papel tus deseos en referencia a tu salud, siempre en presente, no deben contener la palabra **NO.** Un ejemplo sería *"Tengo una salud perfecta"*

Elementos Necesarios.
- 1 Cuarzo amatista grande (el foco)
- 4 Larimar
- 4 cuarzos cornalina chiquitos
- 6 cuarzos ojo de tigre
- 4 citrinas
- 1 Figura geométrica de la Flor de la vida
- 1 Punta de cuarzo blanco activar la rejilla

Flor de la Vida.

Estos cuarzos debes limpiarlos antes del ritual para purificar tus piedras de las energías que pudieran haber absorbido antes de llegar a tus manos, la sal marina es la mejor opción. Déjalas con sal marina durante toda la noche. Al sacarlos puedes también encender un palo santo y ahumarlos para potenciar el proceso de purificación.

Los patrones geométricos nos ayudan a visualizar mejor como las energías se conectan entre los nodos; los nodos son los puntos decisivos en la geometría, son las posiciones estratégicas donde colocarás los cristales, de manera que sus energías interactúen entre si creando corrientes energéticas de altas vibraciones, (como si fuera un circuito) las cuales podemos desviar hacia nuestra intención.

Vas a buscar un lugar tranquilo ya que cuando trabajamos con tramas cristalinas estamos trabajando con energías universales.

Vas a tomar una por una las piedras y las vas a colocar en tu mano izquierda, la cual tendrás en forma de cuenco, la tapas con la derecha y en voz alta repite los nombres de los símbolos de reiki: Cho Ku Rei, Sei He Ki, Hon Sha Ze Sho Nen y Dai Ko Mio, tres veces consecutivas cada uno.
Esto lo harás para darle energía a tus piedras.

Doblas tu papelito y lo colocas en el centro de la red. Le ubicas el cuarzo amatista grande arriba, esta piedra del centro es el foco, las otras las sitúas como está en el *ejemplo.

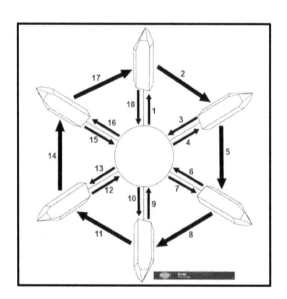

Las vas a conectar con la punta de cuarzo, empezando por el foco en forma circular a favor de las manecillas del reloj.

Cuando hayas configurado la parrilla déjala en un área donde nadie la pueda tocar. Cada varios días debes volverla a conectar, es decir activarla con la punta de cuarzo, visualizando en tu mente lo que escribiste en el papel.

Acerca de los Autoras

Además de sus conocimientos astrológicos, Alina Rubi tiene una educación profesional abundante; posee certificaciones en Sicología, Hipnosis, Reiki, Sanación Bioenergética con Cristales, Sanación Angelical, Interpretación de Sueños y es Instructora Espiritual. Rubi posee conocimientos de Gemología, los cuales usa para programar las piedras o minerales y convertirlos en poderosos Amuletos o Talismanes de protección.

Rubi posee un carácter práctico y orientado a los resultados, lo cual le ha permitido tener una visión especial e integradora de varios mundos, facilitándole las soluciones a problemas específicos. Alina escribe los Horóscopos Mensuales para la página de internet de la American Asociation of Astrologers, Ud. puede leerlos en el sitio www.astrologers.com. En este *momento escribe semanalmente una columna en el diario El Nuevo Herald sobre temas espirituales, publicada todos los domingos en forma digital y los lunes en el impreso. También tiene un programa y el Horóscopo semanal en el canal de YouTube de este periódico. Su Anuario Astrológico se publica todos los años en el periódico "Diario las Américas", bajo la columna Rubi Astrologa.*

Rubi ha escrito varios artículos sobre astrología para la publicación mensual "Today's Astrologer", ha impartido clases de Astrología, Tarot, Lectura de las manos, Sanación con Cristales, y Esoterismo. Tiene videos semanales sobre temas esotéricos en su canal de YouTube: Rubi Astrologa. Tuvo su propio programa de Astrología trasmitido diariamente a través de Flamingo T.V., ha sido entrevistada por varios programas de T.V. y radio, y todos los años se publica su "Anuario Astrológico" con el horóscopo signo por signo, y otros temas místicos interesantes.

Es la autora de los libros "Arroz y Frijoles para el Alma" Parte I, II, y III, una compilación de artículos esotéricos, publicada en los idiomas inglés, español, francés, italiano y portugués. "Dinero para Todos los Bolsillos", "Amor para todos los Corazones", "Salud para Todos los Cuerpos, Anuario Astrológico 2021, Horóscopo 2022, Rituales y Hechizos para el Éxito en el 2022, Hechizos y Secretos, Clases de Astrología, Rituales y Amuletos 2024 y Horóscopo Chino 2024 todos disponibles en cinco idiomas: inglés, italiano, francés, japonés y alemán.

Rubi habla inglés y español perfectamente, combina todos sus talentos y conocimientos en sus lecturas. Actualmente reside en Miami, Florida.

*Para más información pueden **visitar el website** www.esoterismomagia.com*

Alina A. Rubi es la hija de Alina Rubi. Actualmente estudia psicología en la Universidad Internacional de la Florida.

Desde niña se interesó en todos los temas metafísicos, esotéricos, y práctica la astrología, y Kabbalah desde los cuatro años. Posee conocimientos del Tarot, Reiki y Gemología. No solo es autora, sino editora juntamente con su hermana Angeline A. Rubi, de todos los libros publicados por ella y su mamá.

*Para más información pueden contactarla por email: **rubiediciones29@gmail.com***

Milton Keynes UK
Ingram Content Group UK Ltd.
UKHW030645201123
432908UK00017B/2016